LLYFRAU ERAILL YNG NGHYFRES Y CEWRI

1. DAFYDD IWAN
2. *AROGLAU GWAIR*, W. H. ROBERTS
3. ALUN WILLIAMS
4. *BYWYD CYMRO*, GWYNFOR EVANS
5. WIL SAM
6. *NEB*, R. S. THOMAS
7. *AR DRAWS AC AR HYD*, JOHN GWILYM JONES
8. *OS HOFFECH WYBOD*, DIC JONES
9. *CAE MARGED*, LYN EBENEZER
10. *O DDIFRI*, DAFYDD WIGLEY (Cyfrol 1)
    DAL ATI, DAFYDD WIGLEY (Cyfrol 2)
11. *O GROTH Y DDAEAR*, GERAINT BOWEN
12. *ODDEUTU'R TÂN*, O. M. ROBERTS

CYFRES Y CEWRI 13

R. Gwynn Davies

Gwasg
Gwynedd

Argraffiad Cyntaf — Awst 1994

© R. Gwynn Davies

ISBN 0 86074 104 4

*Cyhoeddwyd ac Argraffwyd
gan Wasg Gwynedd, Caernarfon.*

I MARY am fod yn gefn i un anodd;
i GWION am roi cenhadaeth i un hunanol;
i SIONED a JOHN am ddeall a chynnal;
i DARON, ELAN a RHEAN am anwyldeb;
ac i'r WAUN am wrando.

Cynnwys

Pennod   *Tudalen*

1 Yr hen, hen hanes 9

2 Ond yn yr ysgol, mi 29

3 Ti yn dy swyddfa 38

4 Yn gweini tymor 45

5 Y Sawl na weithio, na 61

6 . . . a fynno ymgyfreithio â thi 77

7 . . . ar dy Gyngor 90

8 . . . fel na'ch barner 104

9 Oleuni mwyn trwy'r 117

10 I'r Gad 133

11 . . . fe gyfyd brawd yn erbyn brawd 144

12 Anturiaf ymlaen 151

13 . . . gweld o bell y dydd yn dod 161

14 Gwaith a gorffwys 168

15 Hawl i holi 178

16 Pledio, eiriol neu gyfryngu? 186

17 Dysg im edrych i'r 197

18 Pen ar y mwdwl 205

Yr hen, hen hanes.

Collais fy nhad pan oeddwn yn chwech oed ac aeth fy mam, fy mrawd Dewi a minnau i fyw i Glanfa, cartref fy nain, Ellen Jones, a'i mab W.H. Jones, brawd mam.

'Roedd Glanfa yn dŷ enfawr, wedi ei adeiladu ar droad y ganrif gan fy nhaid, R.O. Jones, dros y ffordd i Bryn Pistyll, hen gartref y teulu, lle'r oedd siop bentref wedi ei hagor gan fy hen daid, Owen Jones, mor bell yn ôl â 1830.

'Roedd Owen Jones — crydd wrth ei alwedigaeth — yn ŵr pur anghyffredin; wedi ei eni yn Llidiart y Dŵr, Nanhoron, yn dlawd iawn, ac wedi dod i ardal y chwareli i geisio gwell cynhaliaeth. Tlodaidd fu ei amgylchiadau yn Waunfawr hefyd am gyfnod, ond dywedir er hynny mai ef oedd yr unig un yn yr ardal a dderbyniai *Yr Amserau* a'i fod yn cyfrannu'n hael at goffrau'r Capel. Cymerai ddiddordeb anghyffredin mewn materion rhyngwladol ac yn ei ddarlith ar Garibaldi cyfeiriodd Gwilym Hiraethog ato yn derbyn *Yr Amserau* ac, ar ôl gweld fod yr Hwngariaid wedi eu gorchfygu a cholli eu hannibyniaeth, yn syrthio i lewyg yn y fan. 'Roedd un o'i goesau wedi ei pharlysu a defnyddiai faglau. Gyda chymorth un o'r baglau hyn y dymchwelodd ran o fur Capel Waunfawr yn 1832 er ceisio perswadio'r Cyfarfod Misol i ganiatáu i'r achos lleol fynd ymlaen â'r bwriad o gael gwell ac ehangach adeilad. Deallaf fod yna geryddu mawr wedi bod gan yr awdurdodau ond bu'r gweithredu uniongyrchol di-drais yn llwyddiant! Ni wn faint o ysgol a gafodd ond mae'n amlwg ei fod yn ŵr diwylliedig ac yn darllen llawer. Syndod i mi er hynny oedd dod ar draws Geiriadur Groeg a gyflwynwyd iddo gan un o weinidogion y Waun.

'Roedd ei briod, Siân Jones, yn ôl William Hobley yn ei gyfrol ar Waunfawr yn y gyfres *Hanes Methodistiaeth Arfon* yn 'cynllunydd ddihafal yn ei thŷ' ond, yn ôl mam, 'roedd yn dipyn o deirant a chafodd fy nain amser anodd gyda hi. Gwisgai benwisg. Ar wahân i'm taid, 'roedd gan Owen a Siân Jones feibion eraill a phob un ohonynt ac eithrio un yn barchus iawn mewn byd ac eglwys. Os wyf wedi dadansoddi'r gorffennol yn gywir, mae'n debyg mai John oedd yr un a dorrodd dipyn dros y tresi, hynny yw, os tybir mai pechod oedd mynegi siom na fuasai ei wddf yn ddwy filltir o hyd i gael blasu'r cwrw'n hwy! Yn ddiddorol, mae cofnod ynglŷn ag Eisteddfod Ynys Enlli yn 1876 yn crybwyll bod John Owen Jones, Bryn Pistyll, Waunfawr wedi tanysgrifio hanner coron yn wobr am englyn. Efallai bod gor-nai iddo yn rhannu'r un diddordebau — a ffaeleddau!

Mae'r ychydig a wn am hen daid arall imi wedi'i gofnodi gan W. Vaughan Jones mewn llyfryn o'r enw *Yr Hen Waun,* ond 'rwy'n eithaf siŵr y buasai Siôn Bryn Gloch wedi bod yn werth ei adnabod. Yr hanes a gofnodir amdano yw'r un am Gwnstabl Caernarfon yn meddiannu ei gar llusg i'r pwrpas o dywys rhywun i'w chwipio trwy'r dref. Rhoddodd Siôn bastynaid i'r ceffyl a rhoi addewid i'r chwipiwr, 'Dyna fo, taro di a myn diawl mi dara innau!' 'Roedd yn un a allai ddefnyddio'i ddyrnau i bwrpas, a dyna'r tro olaf y ceisiwyd chwipio trwy'r stryd yng

Nghaernarfon. Mae'n well i mi gadw at ochr barchus y teulu efallai!

Cadwodd fy nhaid ddyddiaduron manwl am y rhan helaethaf o'i oes. Cofnodir llawer digwyddiad o bwys ynddynt ond, yn anffodus, rhaid ymlwybro trwy doreth o gynnwys pregethau Cenhadon Hedd y ganrif ddiwethaf yn yr ymdrech i gael gafael ar y pethau diddorol. Hanes pererindod fy nhaid o un oedfa bregethu i'r nesaf a geir ynddynt mewn cyfnod pan oedd crefydd yr *'in thing'*. Mae'r cofnodion am y gwylnosau a fynychodd — a chofier mai cyfarfodydd gweddi oedd y gwylnosau — yn dystiolaeth i'r bywyd caled ar y pryd ac i nifer y plant oedd yn cael eu geni ond yn marw'n ieuanc iawn. Mae'n dystiolaeth hefyd i barodrwydd pobl i gerdded ymhell i gyfarfodydd crefyddol; yn wir, mae'n amlwg nad oedd cerdded o'r Waun i Gaernarfon ddwywaith mewn diwrnod yn dreth o gwbl ar fy nhaid. Ond nid yw hynny'n syndod o feddwl bod Owen Jones, ei dad, wedi cerdded gyda'i faglau o'r Waun i Sasiwn y Bala unwaith. Sôn am Mary Jones wir!

Mae'r dyddiaduron yn cofnodi hynt a helynt crefydd yn yr ardal ac yn tanlinellu mor bwysig oedd y rhan honno o fywyd. Rhoddir llawer mwy o sylw i'r ffaith bod rhyw bregethwr neu'i gilydd wedi marw nag i unrhyw ddigwyddiad gwladwriaethol o bwys. Cofnodir yn fanwl y nifer o gerbydau a ddaethai i gynhebrwng y Parchedig William Rees ac mae gofid fy nhaid pan glywodd am ei farwolaeth yn amlwg — 'y dyn mwyaf a adnabûm erioed'.

Daw ambell beth diddorol iawn i sylw rhywun, megis yr arbenigrwydd a roddir i'r ffaith fod rhywun neu'i gilydd wedi annerch 'yn Gymraeg' yn yr Eisteddfod Genedlaethol yng Nghaernarfon. Cofnodir hanes diwygiad 1904, a sylwais fod fy nhaid wedi sgrifennu un dydd: 'heddiw oedd y diwrnod cyntaf ers pymtheng mis i ni beidio cael cyfarfod gweddi'. Yng nghyswllt y diwygiad, fe ddylwn bwysleisio nad oedd fy nhaid yn un o'r rhai oedd ar frig y don yn y llanw mawr; yn wir, clywais y byddai dan gabl gan y bobl ieuanc am ei fod yn eu hel adref pan fynnent ddal i weddïo yn un o adeiladau'r Capel yn hwyr y nos.

Sefydlwyd achos gan y Methodistiaid Calfinaidd yn Waunfawr mor bell yn ôl â 1747, a'r capel oedd canolbwynt yr ardal yn ystod oes fy nhaid, gyda holl weithrediadau'r cylch wedi eu canoli yno; capel a oedd o fewn hanner can llath i gartref a siop y teulu.

Yn ystod rhan olaf y ganrif datblygodd y busnes yn y siop i'r graddau ei bod yn gwasanaethu cylch eang iawn, gyda dwy drol yn cyrchu nwyddau o Gaernarfon bron yn ddyddiol ac yn eu dosbarthu ym ymhobman yn nyffryn Afon Gwyrfai. Yn sgîl y datblygiad daeth y teulu'n ddylanwadol iawn yn yr ardal. Fy nhaid, yn wir, oedd gamaliel y fro.

Dechreuodd ar yrfa gyhoeddus ehangach trwy fynd yn wythnosol i Gaernarfon i helpu David Thomas i 'dalu'r tlodion'. Er diddordeb, gwnaed tysteb i David Thomas, a honno'n dysteb hynod o anrhydeddus ('roedd £120 ac oriawr arian yn dipyn o werth yn 1867) am ei waith yn ymgeleddu pobl a chladdu cyrff y rhai fu farw o'r colera yng Nghaernarfon. Dywedir iddo fod yn gwbl ddiofn pan oedd pawb arall wedi troi eu cefnau. Cofia rhai ohonom y 'ffowntan' a godwyd ar y Maes yn dilyn concro'r afiechyd. Mae un cofnod arwyddocaol yn nyddlyfr fy nhaid: 'Heddiw oedd y tro cyntaf i 'nhad fynd i'r dref ar ôl y colera.'

Yn ddiweddarach, fy nhaid, R.O. Jones, oedd yn gyfrifol am drefniadau'r cyfrifiad cyntaf yn y cylch. Bu'n gefn i'r *British School* cyn ymgyrchu'n llwyddiannus i gael *Board School*, ac yna yn ysgrifennydd y *Board* am genedlaethau. Yn Rhyddfrydwr i'r carn, gweithiodd lawer i hybu'r blaid honno ac fel Rhyddfrydwr yr etholwyd ef yn aelod o'r Cyngor Sir cyntaf yng Nghaernarfon ac, yn ddiweddarach, yn Henadur. Yn llwyrymwrthodwr digymrodedd bu'n fwy cyfrifol na neb am gau hen dafarnau'r Waun, a chofiaf fy ewythr yn dangos hen gopi o'r *John Bull* imi gydag erthygl ynddo yn condemnio arferiad fy nhaid o ofyn i bob ymgeisydd am swydd athro yn y sir a oedd yn llwyrymwrthodwr ai peidio. Ond y capel a materion a berthynai i'r Henaduriaeth oedd canolbwynt ei fywyd. Dengys ei ddyddiaduron iddo gael bywyd anghyffredin o lawn ac mae'n anodd i mi ddirnad sut y llwyddodd fy nain i fagu pedwar o blant ac ysgwyddo cyfrifoldeb y busnes yn ei absenoldeb.

Mae'n debyg i'm taid ddilyn patrwm y cyfnod pan anfonodd ei fab hynaf i wneud gradd yn Rhydychen; prentisio mab arall a'i sefydlu mewn busnes ym Mangor; cadw un mab gartref i warchod y busnes ym Mryn Pistyll ac anfon y ferch, fy mam, i *Dr. Williams' School,* Dolgellau ac wedi hynny i'r *College of Household Management* yn Birmingham. Credaf fod adeiladu Glanfa gyda'i *Breakfast Room, Dining Room, Drawing Room, Study, Spare Room* a llofft y forwyn yn adlewyrchu'r drefn arferol yn hanes un wedi dod ymlaen yn y byd! Felly hefyd y ffaith iddo fynd â'm nain ar wyliau i Landrindod o dro i dro. Dyna'r lle i fynd bryd hynny.

Yn 1926 yr euthum i fyw i Glanfa, ac er bod fy nhaid wedi ei gladdu bum mlynedd ynghynt yr oedd 'eto yn llefaru' ac yn aml iawn cawn fy annog i 'drio bod cystal dyn â dy daid' er i mi glywed mam o bryd i'w gilydd yn ebychu 'a dy dad' pan glywai'r cyngor yn cael ei roi.

Y syndod mawr i mi, wrth edrych yn ôl, yw bod fy nhad wedi cael cymaint o ddylanwad yn y cyfnod cymharol fyr y bu'n rhan o'r teulu. Ganwyd fy nhad, Edward (neu Eddie, fel y'i gelwid yn ddieithriad), yn Roadwater yng Ngwlad yr Haf. Aethai David Davies, ei dad, yno i chwilio am waith a phriododd Saesnes. Saesneg a siaradai fy nhad pan ddaeth y teulu i Waunfawr, ac er i nain ddod i ddeall Cymraeg, ychydig iawn a siaradai.

Gadawodd fy nhad yr ysgol yn llefnyn i fynd i weithio i'r chwarel ac wedi hynny mewn sawl gwaith arall ymhell ac agos. Mae'n amlwg fod ganddo ef a mam ddiddordeb mawr yn ei gilydd dros gyfnod maith a deallaf nad oedd hynny yn dderbyniol o gwbl gan fy nhaid. Pwrpas ei haddysg hi oedd ei chymhwyso ar gyfer bod yn wraig i weinidog. Bron na ddywedwn fod y ffaith iddi gael ei bedyddio yn 'Jane Eunice' a'i galw bob amser yn 'Eunice' yn arwyddocaol yn y cyswllt hwn. Priodasant yn ystod y Rhyfel Mawr, cyn i'm tad gael ei anfon i Salonica; yr oedd yn gwasanaethu fel gyrrwr gyda'r RASC. Yn ystod y cyfnod y bu yno collodd ei iechyd ac, er ei fod yn ddyn cydnerth yn mynd i'r fyddin, ni bu fawr o raen arno wedyn.

Ar ôl y rhyfel, wedi cwrs o hyfforddiant, sefydlodd fusnes cadw ieir — y cyntaf o'i fath yn y cylch — ac 'roedd y fferm yn Nhŷ Gwyn yn eithaf llwyddiannus hyd nes i'w afiechyd ei drechu.

Erbyn hyn yr oedd wedi'i dderbyn yn llwyr gan deulu Glanfa ac, yn ôl mam, 'roedd ef a'm hewythr W.H. Jones fel dau frawd. Yn sicr bu fy ewythr yn fwy na chyfaill iddo ef a mam pan geisiai fy nhad gael gwellhad o'i afiechyd.

Fel y nodais, ni chafodd fy nhad fawr o ysgol, ond mae'n amlwg fod ganddo ddiddordebau eang ac wedi darllen llawer. Arwyddocaol o'i ymdrech i fynnu addysg yw'r ffaith ei fod yn gallu gwneud llaw-fer Saesneg a Chymraeg. Yn Sosialydd ac, yn ôl mam, yn aelod o'r I.L.P., safodd mewn etholiad Cyngor Sir ar ran y Blaid Lafur a chollodd o ryw ddyrnaid o bleidleisiau. Mae'n ddiddorol sylwi mai ysgolfeistr y pentref ar y pryd, Mr R.O. Pritchard, oedd ei asiant yn yr etholiad. Clywais lawer yn sôn am ei allu fel siaradwr cyhoeddus a hefyd am ei allu fel gyrrwr *Ford Model T* a gadwai i bwrpas y busnes wyau, ac amryw, yn eu tro, yn defnyddio'r gymhariaeth 'ei fod yn gyrru fel Jehu'. Dywedai'r diweddar W. Vaughan Jones iddo fod gydag ef yn y cerbyd yn gwneud 60 milltir yr awr ac ef hefyd a ddywedodd wrthyf fod fy nhad wedi ei ddysgu i wneud llawdriniaethau ar ieir a sut i benderfynu rhyw cywion diwrnod oed.

Ychydig a gofiaf am fy nhad, er bod mam yn dweud ein bod yn ffrindiau mawr. Cofiaf fod gydag ef yng ngwasg y *Dinesydd*, papur y Blaid Lafur, yng Nghaernarfon ac yn cael fy enw mewn *linotype*. Cofiaf hefyd amdano yn sefyll ar ben corn simdde Glanfa, sy'n anhygoel o uchel, pan fu tân yn yr *hanging roof* ryw fore Sul, ac yntau wedi rhedeg yno o Dŷ Gwyn gan fy helcyd innau i'w ganlyn. Cysgai allan yn yr awyr agored weithiau, yn ôl cyngor y meddyg. Saif un amgylchiad ynglŷn â'i afiechyd yn fyw yn fy nghof: mam yn fy neffro ganol nos ac yn ceisio fy mherswadio i fynd i geisio help o rywle gan fod 'y gwaed wedi torri'. 'Roedd Tŷ Gwyn yn bell oddi wrth unrhyw dŷ arall ac yn fy ofn gwrthodais fynd.

Yn 1924, ar gost fy ewythr, W.H. Jones, aeth fy nhad i Lanbedr Hall, Rhuthun i gael triniaeth at y darfodedigaeth, triniaeth a oedd yn cael ei harloesi gan feddyg o'r Swistir. Cofiaf fel y byddem yn llythyru â'n gilydd ac yntau'n sôn am y gwiwerod o gwmpas y lle — creaduriaid nad oeddynt i'w gweld yn Waunfawr. Yn Rhuthun y dysgodd am bwysigrwydd cael digon o awyr iach a chysgu yn yr awyr agored pan fyddai'r hin yn caniatáu.

Dyma'r cyfnod pan oeddwn yn dechrau mynd i'r ysgol ac 'rwy'n siŵr fod pawb yn mynd o'u fffordd i wneud bywyd mor braf i mi ag oedd modd. Helen, Bron Eryri (Helen Ramage yn ddiweddarach) fyddai'n galw amdanaf ar y cychwyn hyd nes y teimlwn yn ddigon o ddyn i fynd yng nghwmni 'hogyn'. Robin Hughes oedd hwnnw, ond a ddaeth yn ddiweddarach i gael ei adnabod fel 'Lawrence' oherwydd iddo ddigwydd dechrau ar ei waith yn y chwarel ar fore Llun wedi ymweliad y canwr Lawrence Tibbett â Phafiliwn Caernarfon. Gwisgai'r canwr esgidiau *patent leather* trawiadol ac 'roedd yr esgidiau ysgafn a wisgodd Robin i fynd i'w waith yn ddigon i'w gysylltu â'r cyngerdd ac i alluogi pawb i'w wahaniaethu oddi wrth bob Robin arall am weddill ei oes.

'Roedd gennyf gefnder ychydig hŷn na mi, Albert, a oedd yn gefnder imi o'r ddwy ochr i'r teulu ac a fu'n gyfaill mynwesol tra bu byw. 'Roedd ef yn byw yn y

Groeslon, Waunfawr, rhyw filltir gwta o'r ysgol ar yr ochr uchaf i'r pentref, a deuai ef hefo mi i Dŷ Gwyn i gael cinio bob dydd. 'Roedd yn llawer dewrach na mi ac yn warchodwr di-ail pan fyddai'n rhaid pasio caws llyffant anferth ar goeden ar ffordd Tŷ Gwyn! Ef hefyd a roes gymorth i mi ddod â chi bach, a gawswn yn rhodd gan un arall o'm cyfoedion, adref i Dŷ Gwyn. Yn y cwt glo y cuddiwyd ef o olwg mam ond, yn anffodus i mi, er efallai yn ffodus i'r ci, clywodd mam sŵn cyfarth o fan anghyffredin. Bu dychwelyd y ci i'r sawl a ddymunai gael gwared ag ef yn fusnes trafferthus iawn.

Daeth fy nhad yn ôl o'r fyddin yn casáu rhyfel a militariaeth â chas perffaith, a'r hyn sy'n rhyfeddol i mi yw'r modd y derbyniwyd ei athrawiaethau. Daeth sosialaeth heddychol i gymryd lle rhyddfrydiaeth draddodiadol teulu Glanfa. Rhoddodd fy nhaid ei gas ar Lloyd George oherwydd yr hyn a ddigwyddodd yn Iwerddon a derbyniwyd heddychiaeth lwyr a diamod fel egwyddor sylfaenol. Cefais i fy magu mewn awyrgylch lle'r oedd *'British Empire'* yn air budr ac ni chefais erioed chwarae â gwn!

Yn Glanfa yr arhosai'r rhan fwyaf o'r pregethwyr a ddeuai i wasanaethu ar y Sul yn y Capel ac, yn aml iawn, byddai trafodaethau'r penwythnos yn boeth. 'Paid byth ag anghofio dy fod wedi cael eistedd ar lin Puleston Jones,' oedd un cyngor a gefais. Arhosai llawer o'r gweinidogion o nos Sadwrn hyd fore Llun ac 'roedd y rhan fwyaf yn gwmnïwyr diddan ac wedi bod yn Glanfa sawl gwaith o'r blaen. Cofiaf fel y byddwn yn holi'r Parchedig Stafford Thomas am ei hanes yn y carchar fel gwrthwynebwr cydwybodol yn ystod y rhyfel cyntaf, ac yn rhyfeddu at annibyniaeth meddwl Canwy, y llysieuwr heddychlon. Gofynnodd y cyn-Brifathro W.D. Davies am gael benthyg tei gennyf fi neu fy mrawd am fod yr un a oedd ganddo yn rhy Gomiwnistaidd. Fe bregethodd fel angel!

Wrth ailddarllen yr hyn a sgrifennais am fy nhaid ofnaf i mi roi'r argraff fod R.O. Jones wedi anghofio'i wreiddiau a bod ei lwyddiant yn y siop a'r bywyd cyhoeddus wedi mynd i'w ben. Mae'n debyg na wnaeth ond yr hyn a oedd yn naturiol ac yr oedd yn parhau i fod yn rhan annatod o gymdeithas bentrefol Waunfawr hyd y diwedd. Cyfeirir ato fel dyn mwyn a charedig ond egwyddorol tu hwnt ac un hollol ddiragrith. Mae'r ffaith i'r chwarelwyr ddod adref i hel y bwmbeiliaid i ffwrdd pan hawlient rywfaint o'i eiddo ar gyfer y degwm y gwrthododd ei dalu yn dyst o'i boblogrwydd. O bryd i'w gilydd mae'n amlwg fod pethau'n dynn rhyngddo a'r Eglwys Wladol ac, yn naturiol, 'roedd yn daer dros Ddatgysylltiad. Eto i gyd, englynion gan Berw, Rheithor y Plwyf, sydd ar faen ei fedd.

Arhosodd y ddelwedd a roddasai fy nhaid ar aelwyd Glanfa am flynyddoedd, gyda chapel dair gwaith y Sul, Seiat, Cyfarfod Gweddi, Dosbarth Darllen a'r *Band of Hope* yn rhan annatod o fywyd. Ni châi neb adael y tŷ cyn y ddyletswydd deuluol yn y bore ac fe ofynnid bendith o flaen pob pryd bwyd. Ni welais erioed ddiferyn o alcohol yn y tŷ. Yn ddiddorol iawn, gwerthid *Indian Brandy, Spirit of Nitre, Tincture of Rhubarb* ac *Asafoetida* yn y siop, er i mi gofio gweld anfon potel o dda-da *Rum & Butter* yn ôl heb ei hagor gan na fynnai fy ewythr i blant gael blas diod gadarn!

Cyfeiriais eisoes at garedigrwydd fy ewythr; mae fy

nyled iddo yn aruthrol. Cymerodd le fy nhad yn fy mywyd ac ni allaswn fod wedi cael neb gwell. Yn anffodus, ganwyd ef heb daflod genau ac er iddo gael llawdriniaeth achosodd yr anghaffael anawsterau mawr iddo drwy gydol ei oes. 'Roedd ei frawd hynaf, O.H. Jones, wedi'i glustnodi gan fy nhaid i gael yr addysg orau bosibl ac yn wir graddiodd yn Rhydychen a bu'n weinidog yn Llanilar am gyfnod maith. 'Roedd yn ddyn hynod ddiwylliedig ac yn gerddor ac organydd tan gamp. Tra yn Rhydychen 'roedd ef a T.H. Parry-Williams yn gyfeillion agos, un yn Gadeirydd a'r llall yn Ysgrifennydd Cymdeithas Dafydd ap Gwilym. Parhaodd y cyfeillgarwch hyd y diwedd. Aeth O.H. Jones yn weinidog i Lanilar ac er mai pentref cymharol fychan ydoedd 'roedd yn ddigon agos i Aberystwyth i'w alluogi i barhau a datblygu ei gyfeillgarwch â nifer o Gymry blaenllaw. Fodd bynnag, credaf fod y diweddar Barchedig Harri Williams wedi taro'r hoelen ar ei phen pan ddywedodd mai fy ewythr, W.H. Jones, a ddylasai fod wedi cael y cyfle a gafodd ei frawd. Nid felly y bu, a ni fel teulu a fanteisiodd, yn ogystal â lluoedd o bobl y Waun a ddibynnai arno am gynhaliaeth pan oedd arian yn brin. Claddwyd miloedd o ddyledion ar lyfrau'r siop gydag ef.

Pan sefydlwyd y Blaid Genedlaethol darganfu'r teulu gartref ysbrydol naturiol i'w dyheadau gwleidyddol a chafodd y Blaid eu teyrngarwch yn llwyr ac yn hollol. Gofid i mi yw fy mod wedi methu â darganfod darn o'r *Union Jack* a dynnwyd o ben castell Caernarfon yn 1932. Llwyddodd fy ewythr i'w feddiannu pan oedd yn un o'r criw a geisiodd roi tân arni ar y Maes.

Pan oedd 'Urdd Gobaith Cymru Fach' yn ei dyddiau

cynnar cefais 'injan trên' yn anrheg am fod y cyntaf i gael deuddeg o blant eraill i ymuno â'r mudiad. Mam, wrth gwrs, a wnaeth y canfasio, a hi oedd arweinydd y mudiad yn y Waun ac yn gyfrifol am sefydlu'r gangen leol, cangen a fu'n bur lwyddiannus dros y blynyddoedd. Cefais yr anrhydedd o fod yn aelod o barti a enillodd ar lwyfan un o'r Eisteddfodau Cenedlaethol. Nid wyf nac adroddwr na chanwr, ac fel aelod o barti chwibanu y daeth y clod i'm rhan!

Bu fy nhad gartref am gyfnod byr ar ôl i'r driniaeth yn Rhuthun brofi'n fethiant. Yna bu am gyfnod byr mewn sanatoriwm yn Llangefni ac wedyn ym Mryn Seiont, Caernarfon. Yn Awst 1926 yr oedd i ffwrdd o gartref yn un o'r ddau ysbyty a phawb, mae'n debyg, yn gwybod bod y diwedd yn nesáu. Cofiaf fod mam, Dewi a minnau yn Glanfa yn cael te ar ddydd Sul pan ddaeth yn storm fawr o fellt a tharanau. Perswadiodd nain ni i beidio â dychwelyd i Dŷ Gwyn yn y storm ond i aros yn Glanfa dros nos. Nid aethom yn ôl i gysgu yn Nhŷ Gwyn fyth wedyn ac, ymhen rhyw wythnos neu ddwy, daeth fy nhad o'r ysbyty ac yn Glanfa y bu farw.

Dywedodd mam wrthyf lawer gwaith mai gobaith fy nhad oedd y byddai Dewi neu fi yn darganfod meddyginiaeth i'r diciâu. Trwy drugaredd daeth meddyginiaeth, a hynny'n ddigon buan i arbed bywyd Dewi pan gafodd y clefyd afael arno rai blynyddoedd yn ôl. 'Roedd Dewi, fel finnau, yn wrthwynebydd cydwybodol yn ystod y rhyfel ond, yn wahanol iawn i mi, hoffai'r ysgol a chafodd yrfa addysgol wych. Cafodd radd Dosbarth Cyntaf mewn Gwyddoniaeth a chael Doethuriaeth ym Mangor. Ar ddiwedd ei yrfa yr oedd yn Ddeon Gwyddoniaeth mewn Coleg yn Sheffield ac yn awdur llyfr a gyfieithiwyd i'r Rwsieg. Priododd Eurwen, cyfnither Mary, ac mae ganddynt ddau o blant, un ohonynt yn Seland Newydd. Bellach dychwelodd Dewi ac Eurwen i fyw i Abergele gan ymdaflu i'r bywyd cymdeithasol Cymreig. Cawn ninnau eu cwmni yn aml.

Fel y nodais, yr oedd Glanfa yn dŷ mawr ac, yn ôl safon y cyfnod, yn eithaf moethus. Cedwid morwyn ac mae'n debyg yr ystyrid y teulu yn un cefnog. Fodd bynnag, ar wahân i'r ffaith fod ein cartref yn well na'r rhelyw, 'doedd fawr o wahaniaeth yn y modd yr oeddym yn byw. 'Roedd galwadau'r siop yn drwm ar y teulu i gyd ac nid oedd cyfle i neb gael fawr o hamdden. Byddai fy nain a mam yn codi am chwech o'r gloch y bore ar ddydd Llun i olchi, a dylwn nodi bod y forwyn bob amser fel un o'r teulu ac yn gwneud yr un gwaith, ar wahân i'r siop. Gweini yn Llundain yr oedd nain hyd nes y priododd â taid, ac nid oedd gewyn diog yn ei chorff. 'Roedd yn 70 oed pan aethom i fyw ati yn Glanfa.

Mae gennyf ryw syniad ym mêr fy esgyrn fod mam yn ymwybodol fod y tri ohonom yn Glanfa fel gweithred o garedigrwydd a thrugaredd ar ran nain a'm hewythr, ac nad oeddym yno trwy unrhyw hawl. Ni chlywais y fath beth yn cael ei awgrymu ond credaf fod ansicrwydd ynglŷn â'r dyfodol wedi bod yn y cefndir trwy'r blynyddoedd.

'Roedd gardd fawr yn Glanfa, digon o le i chwarae, a buan y daeth yn ganolfan i nifer o fechgyn yr ardal, a'r coed pinwydd a blannwyd gan fy nhaid yn ei wneud yn safle delfrydol ar gyfer campau o bob math. Fel y soniais, 'roedd J. Eryri Jones, un brawd i'm hewythr, mewn busnes ym Mangor, a'r cysylltiad â Glanfa yn glós iawn. Byddai'r plant, Doris ac Alun, yn y Waun yn aml, yn aros am gyfnodau yn yr haf ac, yn wir, ar adegau eraill pan fyddai'r ysgolion wedi cau. Mawr fyddai'r miri a'r drygau. Yn ystod un o ymweliadau Alun penderfynwyd rhoi cynnig ar smocio. Cawsom afael ar ddwy hen bibell a thipyn o faco o eiddo'r Parchedig O.H. Jones yn y *Spare Room* ac mewn rhyw gwt a godwyd gennym yn yr ardd y rhoesom gynnig arni, a hynny'n eithaf llwyddiannus. Cuddiwyd yr offer yn barod i roi cynnig arall arni drannoeth. Ni fûm yn sâl ond pan deffroais drannoeth yr oedd gennyf boen yn fy mol, poen a symudai'n raddol i'r ochr, yr union fath o boen ag y clywswn ddweud fod rhywun a fu farw o'r 'pendics' wedi'i gael. 'Alun, rydw i'n meddwl bod gin i pendics,' meddwn. 'Finnau hefyd, Gwynn,' oedd yr ateb ac fe sylweddolwyd beth a allasai fod yn gyfrifol. Wedi hynny cafodd offer Yncl Owen lonydd.

Yn yr haf byddem yn cysgu allan mewn pabell yn yr ardd — Alun, Albert a minnau — ac yn gwneud ein bwyd ein hunain. Hen *Bell tent* ail-law a brynwyd gan fy ewythr oedd y babell, a mawr oedd y drafferth i'w chodi o flwyddyn i flwyddyn. Cofiaf i Alun gael pabell well o lawer a'i gosod yn yr ardd gefn ym Mangor. Fe'i dwynwyd cyn pen deuddydd a chredaf mai dyna pryd y sylweddolais nad oedd pobl Bangor yn hollol yr un fath â phobl y Waun.

Hyd yn oed cyn i mi gael beic 'roeddwn yn dueddol o gael damweiniau. Mae cofnod yng nghofrestr ysgol y Waun iddynt fynd â mi at y meddyg i gael tynnu rhyw ddarn o 'garrag nadd' a stwffiais i'm clust. Cofiaf hefyd orfod cael help nyrs i dynnu marblan o'm trwyn.

Rhywfaint mwy difrifol oedd disgyn dros y pistyll ym Mryn Pistyll — disgyn ar fy asennau ac 'rwy'n dal i gofio fel y credwn fy mod yn marw. Gwaeth fyth, yr oedd carreg fechan wedi'i chladdu'i hun yn fy mhen a dim meddyg na nyrs ar gael. Daniel Jones, chwarelwr a fu yn nosbarth *First Aid* Waunfawr a ddaeth i'r adwy a chael y garreg allan hefo cyllell boced a oedd, er tegwch, wedi'i rhoi mewn dŵr poeth cyn y llawdriniaeth. 'Roedd Daniel Jones yn falch iawn o'r 'ddwy systifficet a medal sgin i yn y tŷ acw'. Clywais fod llwyddiant aelodau'r dosbarth *First Aid* lleol i basio'r arholiadau yn anhygoel. Sais oedd yr arholwr ac roedd yn dibynnu ar athro'r dosbarth i gyfieithu atebion y disgyblion! 'Dywed rwbath i'r diawl,' oedd cyngor yr athro i'r dysgyblion!

Yr un haf tywelltais lond sospan o fenyn berwedig ar fy mhen-glin tra'n gwneud bwyd yn y dent yn yr ardd, a chyn fy mod wedi gorffen mendio daeth pilar llechen o ben wal gardd Glanfa yn rhydd dan droed Albert a'm taro pan oeddwn ar fy mhengliniau wrth ochr y wal. Mae'r lwmp yno hyd heddiw ond, ar y pryd, 'roedd y slap yn ddigon i mi beidio â dioddef poen. Fel pe na bai hynny'n ddigon, bu'n agos i mi fy nghloffi fy hun am byth trwy sathru ar waelod pot jam yn yr afon wrth ymdrochi.

'For shame' oedd ebychiad nain, ac mae'n debyg y gellid dadlau bod 'Rhag y'ch c'wilydd chi' mam yn dynodi bod y genhedlaeth iau yn Cymreigeiddio. Sut bynnag, 'roedd y ddau ddywediad yn gwbl haeddiannol yn rhy aml o lawer. Nid ein bod ni'n ddrwg ond ein bod, rywsut, yn gwneud pethau a âi o chwith; megis yr adeg y cefais *Chemistry Set* a oedd yn cynnwys *Bunsen Burner*. 'Doedd dim nwy yn y Waun ond fe gafodd Albert a minnau'r syniad y byddai modd gweithio'r peth hefo nwy *acetylene*, a chael gafael ar lamp garbeid moto-beic i'w gynhyrchu. Yn y *Study* y gwnaed yr arbrawf ac, yn wir, fe daniodd y *Bunsen Burner*. Y drwg oedd i nain agor y drws ymhen rhyw awr a sylweddoli bod y mwg mor drwchus fel na welai fwy na throedfedd o'i blaen. Bu'n rhaid cael *Spring cleaning extra-ordinary*, gan gynnwys golchi'r llenni. Pa syndod nad euthum yn fferyllydd!

O sôn am garbeid, ni chofiaf i mi weld plant yr oes wyddonol hon yn gwneud y defnydd a wnaem ni ohono i gael andros o glec, sef rhoi dŵr am ei ben mewn tún triog, twll yn nhin y tún a matsien wrth hwnnw!

Un waith yn unig y cofiaf fy ewythr yn mynd ar wyliau, pan aeth ef a'i frawd, O.H. Jones, ar fordaith yr Urdd ar yr *Ordunna*, ond cofiaf mam a Dewi a minnau yn mynd i aros i Bwllheli at deulu, a thro arall Albert a'i fam gyda ni. Yr adeg honno y bu cryn stŵr pan ollyngais i frêc un o drams Llanbedrog tra llwyddodd Albert i wneud i'r ceffyl fynd yn ei flaen. Cawsom ein dal hefyd yn rhoi oel treulia yn olwynion y tram gyda'r nos. Mae'n rhaid bod cerbydau yn dipyn o demtasiwn i'r ddau ohonom, gan y bu andros o drwbl pan fu bron i ni lwyddo i gael *steamroller* i fynd — honno wedi ei gadael dros nos gyda'r tân wedi ei huddo. Gwell peidio sôn gormod am ddwyn car y Parchedig O.H. Jones pan oeddwn yn dair ar ddeg oed, hynny ar fore Sul, ac yntau ar frys ac wedi gofyn i mi redeg i agor y garej iddo. Ceisio hwyluso pethau yr oeddwn, ond 'choeliai neb. Gallasai'r amgylchiad fod wedi bod yn un difrifol oherwydd bod un o aelodau'r Capel ar ei ffordd i'r oedfa. Un goes oedd ganddo a chan nad oeddwn wedi meistroli'r ffordd o stopio car bu'n rhaid iddo ef a minnau ddilyn ein gwahanol lwybrau. Ni threwais ef, ond yn y wal y stopiodd y car.

Byddwn yn cael mynd i aros at deulu Bangor o dro i dro ac yn y fan honno y bûm yn y pictiwrs am y tro cyntaf. O bryd i'w gilydd byddem yn mynd hefo'r trên o Fangor i Lanfairfechan a byddem yn aros yno am wythnos yn yr haf hefo teulu Bangor. Mae'r llyn hwylio cychod bach yno o hyd ond sylwaf mai ychydig sy'n manteisio ar y lle. Caem hwyl ryfeddol yno, ac wedyn mynd i oedfa'r pierrots ar y lawnt o flaen y Pafiliwn, ac oedfa arall ar lan y môr hefo'r *Children's Special Service Mission* — ac yn mwynhau ein hunain! Dan ofal nain yr oeddwn pan fu bron i mi â boddi, sy'n fy atgoffa am y noson pan oeddwn yn fy ngwely'n sâl a mam yn y capel. Penderfynodd nain y byddai Asiffeta yn gwneud lles imi ond rhoddodd ormod ohono a dywedir y bu bron iddi â'm lladd! Efallai mai'r alcohol yn y gymysgedd oedd ddim yn dygymod â mi!

Pan fyddwn yn aros ym Mangor 'roedd mynd ar hyd y Pier yn ddefod ddyddiol ac am geiniog yr un caem fynd yn ôl ac ymlaen ar y cwch dros y Garth. Buom sawl gwaith ar deithiau ar y *St. Tudno, St. Seiriol, St. Elvis* a'r *Snowdon.* Mae Cyngor Dinas Bangor wedi adnewyddu'r Pier yn ddiweddar ond bellach 'does dim llongau yn glanio yno. Yn y tridegau cynnar 'roedd yn ganolbwynt gweithgareddau digon diddorol. Cofiaf rasys cychod cyflym yn cael eu cynnal ac, os yw fy nghof yn iawn, i'r Parchedig Silyn Roberts, a oedd yn aros yn Glanfa y diwrnod wedyn, ddweud mai ei ferch oedd yn un o'r cychod a drodd drosodd.

Gallwn fynd ymlaen ac ymlaen hefo straeon am ddigwyddiadau a oedd yn bwysig iawn ar y pryd ond, cyn newid testun, dylwn sôn am ddyheadau mam a rhieni Albert i ni ddysgu canu piano. Fy ewythr, O.H. Jones, oedd organydd cyntaf y Waun; yn gerddor rhagorol bu'n gyfeilydd i gorau ac felly ymlaen. Bu mam yn organydd y capel ar ei ôl ac nid oedd yn rhy fuan i minnau feistroli'r grefft. Oherwydd bod dau ohonom eisiau cael ein dysgu, trefnwyd i foneddiges o'r Bontnewydd ddod i Glanfa yn rheolaidd bob nos Wener. Ar ôl pythefnos sylweddolodd Albert a minnau mai penyd ac nid pleser oedd y busnes ac fe wnaethom bopeth i wneud swyddogaeth y foneddiges mor anodd â phosibl: fi yn rhoi trydan y tŷ i ffwrdd yn ôl ac ymlaen pan oedd Albert yn cael gwers ac yntau'n talu'r gymwynas yn ôl yn ystod fy ngwers innau, a ffendio rhesymau dilys i ddod i mewn a thorri ar draws gwersi'n gilydd gyn amled ag y medrem. Cofiaf unwaith lenwi fy ngheg hefo reis a'i chwythu gyda thiwb gwydr o'r *Chemistry set* trwy dwll clo drws y Stydi a oedd, yn gyfleus iawn, union gyferbyn â bwrdd y piano. Daeth diwedd i'r gwersi ar ôl i'r ddau ohonom fynd i grombil y piano yn ystod yr wythnos hefo sbaner a llacio nifer o'r llinynnau. Fe synnech gymaint o wahaniaeth a wnaeth hynny i'r sŵn. Wrth reswm fe fu post-mortem, ac Albert a minnau'n cofio am bianos eraill yr effeithiodd y tywydd arnynt.

Yng nghyswllt Glanfa 'rwyf yn rhwym o sôn am deulu drws nesaf, Bron Eryri, sef Owen (ŵyr i Owen Jones Crydd) a Grace Margaret, ei wraig, a'u plant — W. Vaughan Jones, y mathemategydd a'r dramodydd, cynghorydd, ynad heddwch, hanesydd, englynwr, conglfaen sawl cymdeithas yn yr ardal ynghyd â bod yn awdurdod ar ieir a nodau defaid; Miss E.M. Jones (Bessie), athrawes wrth ei galwedigaeth, ond a lwyddodd ar ôl ymddeol, gyda chymorth telisgop cryf, i ddysgu ieuenctid y Waun am ryfeddodau'r ffurfafen ac a fu'n gymwynaswraig hollol anhunanol y pentref am genedlaethau; R.E. Jones, cyfrifydd yn y Cyngor Sir a etifeddodd ddawn anhygoel ei dad i drin ffigurau; John Glyn Jones, a aeth i Fanceinion yn fferyllydd, a Mrs Helen Ramage, yr hynafiaethydd a oedd yn awdurdod ar hanes Môn. 'Roedd teulu Glanfa a Bron Eryri yn byw ar aelwydydd ei gilydd ac mae gennyf achos mawr i fod yn ddiolchgar am gael eu cwmni a rhoi cyfle i rywfaint o'r diwylliant rwbio i ffwrdd arnaf innau.

Fy swyddogaeth gynharaf mewn perthynas â'r siop oedd mynd i Gaernarfon bob bore Sadwrn i edrych beth oedd pris y farchnad ar fenyn a wyau; gyda'r cyfryw nwyddau y talai llawer o fân ddyddynwyr y cylch am yr hyn a gaent yn y siop. Cofiaf y byddwn yn gorfod disgwyl weithiau am beth amser yn yr hen Farchnad nes y rhoddid y prisiau i fyny mewn sialc ar fwrdd du. 'Roedd yn dipyn o benyd gan fy mod yn colli cael mynd i chwarae, ond rhyw fywyd felly oedd bywyd siop, a phawb yn gorfod gwneud ei siâr. Daeth yr amser pryd y disgwylid i mi helpu trwy bwyso nwyddau a chymryd fy lle wrth y cownter. Gwneid y rhan fwyaf o'r busnes 'ar lab' hyd ddiwedd yr wythnos ac, yn wir, ni ddisgwylid i lawer o chwarelwyr glirio'r llechen hyd nos Wener y 'cyfri mawr'. Yn boenus o anffodus 'roedd dyledion na fedrid eu talu'n rhan o fusnes y siop ac yn y tridegau gwn i'm hewythr orfod maddau symiau mawr. Ni ddaeth ag achos llys yn erbyn neb erioed ac anrhydeddwyd y traddodiad pan fu farw trwy gladdu miloedd o ddrwg ddyledion.

Ond yn yr ysgol, mi . . .

Yn ŵyr i R.O. Jones, 'roedd disgwyliadau mawr wrthyf yn yr ysgol! Serch hynny, rhyw yrfa ddiddrwg-ddidda a gefais; gwneud yn eithaf da pan oedd rhaid ond, gan amlaf, yn llwyddo i ganfod pethau eraill llawer mwy diddorol i'w gwneud na'r addysg ffurfiol y disgwylid i mi ei hanwesu.

Mwynheais y cyfnod y bûm yn ddisgybl yn Ysgol y Cyngor, a'r cof sydd gennyf yw bod pawb bob amser yn garedig iawn wrthyf; hynny efallai, oherwydd fy nghefndir a'r cydymdeimlad am imi golli fy nhad. Y Prifathro oedd Mr R.O. Pritchard, gŵr hynod ddiwylliedig. Ni fûm yn cael gwersi yn ei ddosbarth ef erioed; fe gymerai ef ofal am Ddosbarthiadau 6 a 7, sef y disgyblion hynny nad oedd wedi mynd i'r Ysgol Sir ond yn aros yn ysgol y Waun hyd nes y dôi'n amser iddynt fynd i'r chwarel. Fe roes Mr R.O. Pritchard gyfle i'r dysgyblion hyn gael cipolwg ar ddiwylliant o ddifrif. Dysgai hwy yng ngwyddor garddwriaeth a byd natur a cheisiodd eu trwytho yn nirgelion cynganeddu. Clywais amdano yn holi'r dosbarth ar ôl gwers ar y cynganeddion ac yn gofyn i Twm bach, Tŷ Isaf, 'Cynghanedd beth ydi honna, Tomos?' Pan ddaeth yr ateb, 'Cynghanedd Lusg, Syr,' ebychodd yntau, 'Tyrd yma, a mi llusga' i di!' Yr oedd ysgol y Waun yn cael ei chydnabod yn ysgol ragorol ac 'roedd yr athrawon oll, yn fy amser i, yn rhai penigamp. 'Rwy'n sicr fod nifer y cyn-ddisgyblion a ddaeth i amlygrwydd ar gorn yr hyfforddiant cynnar a gawsant yn uchel iawn.

'Waeth i mi gydnabod na pheidio, ni fwynheais fy amser yn yr Ysgol Sir yng Nghaernarfon. Hogyn o'r wlad oeddwn ac 'roedd yr awyrgylch yn codi ofn arnaf. Efallai bod awyrgylch Seisnig y lle a'r ffaith mai carbwl iawn oedd fy Saesneg i wedi tanseilio fy hyder o'r cychwyn. 'Rwy'n cofio'r diwrnod cyntaf pan rannwyd copïau i ni a ninnau'n cael gorchymyn i farcio un ohonynt hefo'r geiriau *Miscellaneous Book*. Gwir, fe sillafwyd 'miscellaneous' gan yr athro — ac 'rwy'n dal i fedru ei sillafu hyd y dydd heddiw — ond 'roedd dieithrwch y gair fel pe bai'n ymgorfforiad o ryw le oedd y tu allan i'm crebwyll. Saesneg oedd iaith yr athrawon a Saesneg oedd pob gwers ond yr un Gymraeg ac 'roedd hynny'n gwneud Mr Hugh Griffith, yr athro, yn ffefryn ar unwaith. Eto i gyd 'roedd athrawon eraill y teimlwn yn agos atynt. Yn rhyfedd iawn, 'roedd yr athrawes Saesneg, a oedd yn hynod o amhoblogaidd, yn un o'r rhai yr oeddwn i'n ei hoffi. Credaf ei bod yn sylweddoli nad oedd Saesneg a minnau ar yr un donfedd.

Efallai fy mod wedi penderfynu o'r cychwyn nad oeddwn yn mynd i hoffi'r lle ac, fel y dywedais, nid oedd yn anodd canfod pethau mwy diddorol na gwersi i ganolbwyntio fy egni arnynt. 'Roedd fy nghyfeillion agos i gyd o'r un feddwl â mi ac ni ddisgleiriodd yr un ohonom yn y byd academig. Yn wir, fi oedd yr unig un o'r criw na fu raid iddo aros blwyddyn yn 4X. Yn ôl y sôn, safai X am *'XMAS'*, gyda'r rhybudd os nad oedd yr ysgolheigion yn dangos mwy o ymroddiad cyn y Nadolig na byddai lle iddynt mwyach yn y Cownti Sgŵl!

Rhaid cydnabod i'm ffrindiau agosaf, megis Albert a John Siop, ysgafnu llawer ar awyrgylch yr ysgol. Cofiaf

Albert yn ystod y gwasanaeth yn y neuadd un bore yn troi at John ac yn dweud, 'Wyddet ti fod Williams Pantycelyn yn chware ffwtbol?' a John yn ateb yn ddigon naturiol, 'Be sydd arnat ti'r diawl gwirion?' Dangosodd Albert y llyfr emynau iddo gan ddweud, 'Sbia'n fama — Iesu, cymer fi'n dy gôl.' Chwerthin mawr, a chosb yn dilyn. Byddai'r ddau'n siarad yn uchel weithiau ar draws y dosbarth ac, yn aml, caent eu hesgusodi am fod y dywediadau mor wreiddiol. Un o'r athrawon yn rhoi rhybudd i'r dosbarth: *This organised laughter must stop!* John yn gofyn yn ddiniwed ond yn hyglyw, 'Albert, be ma' *organised laughter* yn 'i feddwl?' Albert yn ateb yn ddigon uchel i bawb ei glywed, 'Chwerthin 'run fath ag organ siŵr iawn.' Beth fedrai'r athro ei wneud ond chwerthin ei hun.

Fe gefais ryw gymaint o flas ar fathemateg, physeg a mecaneg, ac 'rwy'n dal i gofio sawl theorem a fformiwla megis 'v=u+at' ac yn y blaen. Yn hynny o beth yr oeddwn yn rhagori ar Albert. Yn arholiad y C.W.B. cofiaf yn iawn fynd ato ar ôl iddo ddod allan o'r ystafell wedi sefyll y papur 'Arithmetic', ac wedi cael hwyl eithaf, medda fo. Edrychais ar y papur a rhai o'r atebion yr oedd wedi eu nodi. Un cwestiwn oedd ceisio darganfod hyd trên yn pasio trwy orsaf mewn hyn-a-hyn o amser ar ryw gyflymdra arbennig. Sylwais fod Albert wedi dod i'r casgliad ei bod yn ddwy filltir a hanner o hyd. Ofnaf na fu'n llwyddiannus yn y papur arbennig hwnnw.

Wedi cael y Matric y cyfan a ddymunwn oedd gadael a mynd i weithio fel fy ffrindiau er mwyn cael mwynhau'r rhyddid yr ymfalchïent hwy ynddo.

'Doeddwn i ddim chwaith yn chwaraewr pêl-droed o

unrhyw safon ond mi dreuliais oriau lawer yn ceisio datblygu dawn i chwarae snwcer — ymarfer nad oedd fawr o help i'm gyrfa addysgol — a llwyddais i gael lle yn y tîm lleol a chwaraeai yng Nghynghrair Gwyrfai.

Ceid dau gwt biliards yn y Waun, sef 'lle Non' a 'garej Guto bach', ac 'roedd cymeriadau lliwgar yn mynychu'r ddau le. Lle 'Guto bach' oedd cyrchfan Robin bach Collfryn a Huw Cae'r Weun, 'Scottie' ar lafar gwlad. 'Roedd Huw yn un o'r rhai hynny oedd am wneud pob dim nes y deuai'r amser. Dyna ichi'r tro hwnnw y perswadiodd yr hogiau i gyd i fynd i'r afon i ymdrochi, ac ef ei hun, ar ôl rhoi ei droed yn y dŵr, yn cyhoeddi, 'Mae hwn yn syth o'r Artic siŵr Dduw!' cyn troi a mynd adref. Dro arall, ar ôl bod gyda chriw yn hela llwynog ar ochr y Mynyddfawr ac yn dod adref ar ddiwedd prynhawn poeth a heb weld dim mynegodd ei benderfyniad yn glir, 'Da'i ddim ar ôl y diawl eto, taswn i'n 'i weld o'n mynd â 'nhad ar draws ei geg!' Huw ddywedodd wrth ei dad wedi i hwnnw ddweud na flasodd o ddim byd mor ddrwg â glasiad o gwrw, 'Pawb yn clywad y cynta'n ddrwg siŵr Dduw.' Un nos Sadwrn pan gyrhaeddodd adref o'r dref a'i fam yn crio o weld ei gyflwr dywedodd ei fod am fynd i Affrica i'r diawl, a'i dad yn gofyn, 'A be wyt ti'n feddwl wnei di yn fan'no yn fwyd i lewod?' Aros i ddiddanu ardal â'i ffraethebion a wnaeth Huw.

Crybwyllais Robin bach Collfryn. Un o'r perlau a ddaeth o'i enau ef oedd yr un pan welodd ŵr o'r Waun a oedd newydd briodi yn dod â'i wraig i'r pentref am y tro cyntaf: 'Rydw i'n torri'r deg gorchymyn y munud yma.'

Mewn un camp yn unig yr oeddwn yn rhagori ar fy nghyfoedion. Am ryw reswm, pan oeddwn ar gefn beic 'roeddwn yn gwbl ddiofn ac yn ddigon medrus. Bu'r hyn a ystyrid yn reidio peryglus yn achos llawer o drybini ar yr aelwyd. Mr Henderson oedd yr heddwas lleol, a bu yn Glanfa lawer gwaith yn dweud wrth fy mam fod pobl yn cwyno fy 'mod yn beryg' ac yn ceisio fy narbwyllo i fod yn fwy rhesymol.

Pum ceiniog oedd cost y bws i fynd i'r ysgol i Gaernarfon, a chawn chwe cheiniog y dydd gan mam. 'Roedd hynny'n gadael ceiniog i mi i'w gwario, sef, o'i chyfnewid, hanner paced o Wdbeins. Felly, yn aml, awn i'r ysgol ar gefn beic! Cofiaf fynd ag Albert ar du ôl neu ar far y beic lawer gwaith.

Ambell dro llwyddwn i hwyluso'r siwrnai adref i fyny'r gelltydd trwy gydio yn yr ysgol a fyddai'n rhan annatod o'r bysys yn yr oes honno. Defnyddid yr ysgolion i fynd â pharseli i'w cario ar ben y bws a byddai yno rêl fach i'w rhwystro rhag dod tros yr ochr.

Clywais Wil Vaughan yn dweud mai ar ben y bws yn amlach na pheidio y byddai plant ysgol yn trafaelio yn ei amser ef. Adroddodd hanesyn am un o'r plant yn gwneud llanast ofnadwy hefo'r rhaff a'r bachyn oedd yn rhwym yno i bwrpas codi parseli i fyny. Lluchiodd y bachyn fel y bydd cowboi'n lluchio lasŵ a bu'n ddigon lwcus i'w gael i fachu mewn weiren bigog ar ben ffens gydag ochr y ffordd. Dywedodd Wil i'r bws godi tua chwarter milltir o ffens i'w ganlyn wrth fynd ymlaen ar ei daith. 'Roedd hi'n olygfa ddiddorol iawn o ben y bws, a'r polion yn dod yn rhydd y naill un ar ôl y llall. Y canlyniad, wrth gwrs, oedd *'Come to my room'* a'r prifathro'n gwneud ymchwiliad i gŵyn y tirfeddiannwr. Y tro hwnnw, fel sawl gwaith yn fy amser innau, yr esboniad traddodiadol pan fyddai trwbl ar y bysys oedd, *'It was children from the "Higher Grade" that did it, Sir,'* — esboniad y byddai'r prifathro, yn ddieithriad, yn fwy na balch o'i dderbyn.

Daeth diwedd ar y siwrneiau proffidiol ar y beic i'r ysgol pan gefais ddamwain enbyd ar waelod Allt Cae Main. Daeth lamp y beic i ffwrdd ac aeth i'r olwyn flaen. Aed â fi i dŷ'r Doctor yng nghar Eluned, athrawes ym Methesda ar y pryd, a phriod Mr O.M. Roberts yn ddiweddarach. Erys creithiau'r ddamwain hyd heddiw. Cefais sawl damwain arall a'm niweidio fy hun ond, yn ffodus, neb arall! 'Roeddwn hefyd yn nofiwr cryf ond yr awydd i fynd yn gyflymach na neb arall ar y beic sy'n aros yn y cof.

Yn ystod y cyfnod hyd at tua 1937 yr oedd Waunfawr yn cael gwasanaeth trên y *Welsh Highland Railway*, er bod oes aur y cwmni wedi mynd heibio ers amser. 'Rwy'n cofio trenau'n rhedeg yn rheolaidd, a John Humphreys yn gofalu am y seidin lo ac yn gwerthu glo yn y pentref. Cofiaf hefyd mai ar y trên bach y byddai taith flynyddol yr Ysgol Sul i'r Rhyl yn cychwyn. Nid wyf yn ddigon hen i gofio'r amser pan oedd gorsaf-feistr yn y Waun ond yr oedd y ffôn yn adeilad y Stesion yn dal i weithio hyd fy amser i — ond nid wedi hynny!

Clywais fy mam yn sôn am ddwy eneth o'r Waun wedi mynd i ffwrdd i weini ac yn rhy swil i roi'r cyfeiriadau priodol ar eu bagiau wrth eu hanfon yn ôl i'r Waun o'u blaenau. Ymddengys fod y gorsaf-feistr mewn profedigaeth fawr yn esbonio i'r Inspector na chlywodd erioed am Miss Jones *Hardfield* a Miss Evans *Head of Hill.* Ond bu'r Stesion yn ganolfan ardderchog i gael hwyl yn ystod misoedd yr haf. Lle ardderchog i wneud campau ar gefn beic tra'n disgwyl y trên, yna neidio ar ei hochr a chael ein cario am ryw filltir, mwy neu lai, tra byddai'r gyrrwr a'r giard yn gweiddi mwrdwr.

Cyn i ni ddarfod malu'r ffôn caem hwyl yn ffonio i'r pencadlys yn 'Dinas Junction'; troi rhyw handlan i ganu'r gloch a chyhoeddi *'Beganîfs calling'*, a rhedeg oddi yno cyn i'r tryc petrol gyrraedd. Bûm lawer gwaith yn ceisio troi dimai yn geiniog wrth ei rhoi ar y rêl dan y trên ond ni fu'r ymdrech erioed yn ddigon llwyddiannus i wneud i fashîn Wdbein weithio. Mae'n rhy hwyr bellach i ddysgu drwg i neb ond 'roedd yn beth cymharol hawdd rhoi ffyrlin ar faen llifo a'i gwneud yn gymesur â darn chwecheiniog, a weithiai'n iawn mewn mashîn 'Players'. Ond 'doedden ni ddim hanner mor ddrwg â phlant heddiw. Rhyw hwyl bach diniwed oedd y cyfan!

Er nad oedd gennyf fawr o ddiddordeb mewn addysg fe ddatblygodd fy niddordeb mewn gwleidyddiaeth pan oeddwn yn ifanc iawn. Heb amheuaeth, y trafodaethau ar yr aelwyd oedd yn gyfrifol am hyn. Ymunais â'r Blaid Genedlaethol yn 1934 pan oeddwn yn bedair ar ddeg oed, a byddwn yn mynychu cyfarfodydd gwleidyddol pob plaid bob tro y cawn gyfle. Mae'r frwydr i rwystro'r datblygiadau milwrol yn Llŷn a'r ias o orfoledd a deimlais pan glywais am losgi'r Ysgol Fomio yn fyw yn fy nghof. 'Roeddwn yn un o'r criw y tu allan i'r Llys yng Nghaernarfon yn disgwyl am ganlyniad yr achos. Ni theimlais na chynt na chwedyn y fath gyffro; y chwarelwyr wedi dod yno i ddangos eu hochr; y canu buddugoliaethus pan dybiwyd am ychydig fod y tri wedi eu cael yn ddieuog. Bûm o gwmpas y Waun yn casglu arian at y gronfa amddiffyn ac 'roeddwn yn un o'r stiwardiaid yn y Pafiliwn yn y Cyfarfod Croeso; y diweddar Harri Gwynn oedd fy nghyd-stiward.

A hithau'n amser mor gynhyrfus yng Nghymru, eilbeth oedd llwyddo yn yr ysgol ac 'roeddwn yn fodlon gwneud unrhyw waith i gael gadael y lle. Trwy'r blynyddoedd 'roeddwn wedi bod yn helpu yn y siop ac yn hen gyfarwydd â gweithio am oriau gyda'r nos yn pwyso siwgr a reis, llifio calennau halen, mesur paraffin fesul chwart i jariau pump a deg galwyn ac, am wn i, buaswn wedi bod yn hapus yn aros yno ond 'roedd fy ewythr yn ddigon craff i weld nad oedd dyfodol i siop wledig ar raddfa Bryn Pistyll ac ni roddodd fawr o dderbyniad i'm gobeithion yn y cyfeiriad hwnnw.

'Roedd fy nhaid wedi bod yn gyfeillgar iawn â Mr Ellis Davies, A.S. ac yn perthyn i'r un garfan ag yntau adeg y rhwyg hefo Lloyd George pan roddodd hwnnw'r cwpon yn erbyn Ellis Davies. Mae'n debyg bod fy mam a'm hewythr yn bryderus am fy nyfodol ac yn awyddus i mi gael gyrfa. Wedi iddynt ddeall nad oeddwn yn bwriadu mynd i goleg a'm bod yn gogwyddo at wleidyddiaeth buont yn trafod fy nyfodol gyda Mr Ellis Davies ac, yn garedig iawn, rhoddodd ef gyfle i mi fynd i weithio i'w swyddfa am chwe mis er mwyn penderfynu a fuasai gyrfa gyfreithiol at fy nant. Nid oeddwn yn or-hoff o'r syniad o gael fy nghau i mewn o naw tan bump ond, hyd y gwelwn, dyna'r unig obaith o gael gadael yr ysgol, ac felly, rhoddais gynnig arni.

Pryd hynny, 'roedd y sawl a ddymunai fod yn

gyfreithiwr yn cael dewis mynd i goleg am dair blynedd a gwneud tair blynedd o erthyglau gyda chyfreithiwr ar ôl hynny, neu beidio â mynd i goleg ond gwneud pum mlynedd o erthyglau. 'Roeddwn yn digwydd bod wedi gwneud Matric digon da i'm galluogi i osgoi coleg os dymunwn hynny ac, yn wyneb cryn wrthwynebiad o du'r teulu, dyna'r llwybr a ddewisais.

Yn fuan iawn sylweddolais fod gweithio mewn swyddfa cyfreithiwr yn ddiddorol tu hwnt ac ar ddiwedd y chwe mis o brofianaeth dechreuais fy mhum mlynedd o erthyglau gyda Mr Ellis Davies.

Ti yn dy swyddfa . . .

'Roedd David a Richard, dau fab Mr Ellis Davies, a'i ferch, Gweneth, yn y busnes gydag ef ac yr oedd awyrgylch gyfeillgar yn y swyddfa. Yn yr oes honno 'roedd Mr Ellis Davies yn un o'r ychydig gyfreithwyr a fedrai, neu o leiaf yn cydnabod eu bod yn medru'r Gymraeg, a dyna oedd iaith y swyddfa. Drwodd a thro, 'roedd cyfreithwyr yn credu eu bod yn llawer rhy ddysgedig i siarad unrhyw iaith ond Saesneg. Fe'i cefais yn ŵr hollol ddiffuant ac yn ŵr diddorol iawn hefyd, yn enwedig pan soniai am ei hanes yn y gorffennol. Ar un adeg bu'n gyfreithiwr i Mr Selfridge, perchennog y siop enwog, ac nid oedd diwedd ar y straeon am gampau'r gŵr hwnnw ym myd busnes. Pan aech i mewn i ystafell Mr Ellis Davies y peth cyntaf a welech oedd llun Mr Selfridge a neges bersonol i Mr Ellis Davies arno.

'Pe bawn i yn eich lle chi, pan fyddwch chi'n gyfreithiwr fuaswn i ddim yn mynd ar gyfyl Llys Ynadon. 'Waeth ichi fod yn chwara rownd y ffowntan na wastio'ch amsar yn fan'no trwy'r dydd,' oedd un o'r cynghorion cyntaf a gefais ganddo, ac yn ystod yr amser y bûm yn ei swyddfa prin iawn fu fy ymweliadau â'r Llysoedd hynny. Byddai'n fodlon i mi fynd i'r Llys Sirol, lle a godai dipyn o ofn arnaf. Y Barnwr oedd Mr Artemus Jones, a ymddangosai fel pe bai'n dymuno bod yn gas hefo pawb. Ymhen blynyddoedd wedyn y sylweddolais fod llawer o Farnwyr y Llys Sirol yn datblygu yr un tueddiad. Mae'n siŵr ei fod yn fywyd hynod o feichus ac undonog.

Y dyddiau hynny 'roedd y Seisys ac ymweliad y Barnwr Coch â thref Caernarfon yn bwysig i'r trigolion a byddai llu mawr yn aros i gael mynd i'r oriel gyhoeddus. Gan fy mod yn Glerc dan erthyglau 'roeddwn yn ddigon pwysig i gael eistedd gyda'r cyfreithwyr a'r bargyfreithiwr yn y cysegr sancteiddiolaf a chael ymdeimlad o bwysigrwydd mawr. Nid oedd galw arnaf fi, fel yr rhelyw o'r gynulleidfa, i gymryd sylw o awgrymiadau'r Barnwyr, o bryd i'w gilydd, y dylai pobl adael y Llys am fod tystiolaeth o ddigwyddiadau aflednais yn mynd i gael ei chyflwyno. Cawn innau'r fraint o adrodd yr hanes wrth fy nghyfoedion ar ôl mynd adref a theimlo'n dipyn o gawr.

Er nad oeddwn yn y Llys fy hun ar y pryd clywais am Farnwr yn gwneud datganiad i'r perwyl, *'The evidence which is to be given in this case is likely to be very unsavoury, and I would advise all ladies in the public gallery to leave the Court.'* Fe ymadawodd nifer o'r gwragedd ond fe arhosodd eraill, ac meddai'r Barnwr gan edrych i'w cyfeiriad, *'We will now proceed. I see that all the ladies have left.'*

Ar nodyn mwy difrifol, 'rwy'n dal i gofio'r tro cyntaf y gwelais berson yn cael ei anfon i garchar, ac er i mi ar ôl hynny weld a bod yn rhan yn y weithred o garcharu lawer gwaith, y gŵr hwnnw wrth iddo fynd i lawr y grisiau a gofiaf gliriaf.

Credaf mai'r gymwynas fwyaf a wnaeth Mr Ellis Davies â mi oedd ceisio fy nysgu i adnabod pobl. Cofiaf iddo fy ngwadd i eistedd gydag ef yn ei swyddfa pan oedd yn cyfweld gŵr bonheddig arbennig. Yng nghwrs y cyfweliad defnyddiodd y gŵr y frawddeg, 'Cofiwch, 'rydw i mor onest â dur, Mr Ellis Davies,' dro ar ôl tro. Ar ôl iddo adael gofynnwyd i mi am fy marn amdano. Atebais innau nad oedd fawr o farn gennyf ond ei fod, yn amlwg, yn ddyn gonest. 'Gwynn,' meddai, 'gwyliwch o. Mae gan bawb sy'n dweud ei fod yn onest dro ar ôl tro rywbeth i'w guddio.'

Nid oedd gan Mr Ellis Davies fawr o feddwl o'r Blaid Genedlaethol a chredaf fod ei farn ef a Mr Lloyd George ar y Blaid yn debyg: dyfodol tebyg i gicaion Jonah oedd iddi. Yn y cyfnod yma y pasiodd y Llywodraeth Fesur yn consgriptio bechgyn ugain oed i'r fyddin ac 'roedd Mr Ellis Davies yn un o'r trefnwyr ac yn siaradwr mewn cyfarfod yn y Pafiliwn i wrthwynebu'r Mesur. Gwyddai am fy naliadau personol i ac fe gofiaf yn ddiolchgar iddo am fy nghyflwyno a rhoi cyfle i mi ysgwyd llaw â George Lansbury.

Cyfnod rhyfedd oedd y cyfnod hwnnw: fel y dywedodd rhywun, rhyfel heb gychwyn ond yr heddwch wedi darfod. Cyfnod anodd oedd i minnau; cyfnod o weithgarwch hefo'r Blaid a'r *Peace Pledge Union*; cyfnod pan welais fy ffrindiau agos yn dewis newid eu meddwl, a minnau'n teimlo'n unig iawn tra oeddynt hwy yn ymuno â'r fyddin; cyfnod o ddadlau diddiwedd a thynnu pobl yn fy mhen; cyfnod pan oedd coleddu rhai egwyddorion arbennig yn dod â mi i gysylltiad ag eraill o gyffelyb ddaliadau heb fod fawr ddim yn gyffredin rhyngom oddigerth y daliadau hynny. Yn waeth na dim, cyfnod pan oedd fy ffrindiau maboed a minnau'n ymatal rhag trafod yr union beth yr oedd pob un ohonom fwyaf ymwybodol ohono ond yn methu â'i grybwyll oherwydd i ni ddewis safbwyntiau gwahanol.

Hwn oedd cyfnod euraid y W.E.A. a chofiaf y dadlau

a gaed yn y dosbarthiadau hynny. Mr Dylan Pritchard, darlithydd yng Ngholeg Bangor ac awdurdod ar hanes chwarelyddiaeth Gogledd Cymru, fu'n cynnal y dosbarthiadau am rai tymhorau. Mab i'r diweddar R.O. Pritchard, cyn-brifathro ysgol y Waun, oedd Dylan. Oherwydd y sefyllfa ryngwladol âi'r drafodaeth yn amlach na pheidio i gyfeiriad y gwahaniaethau rhwng y gwahanol genhedloedd a'u cysylltiadau â'i gilydd. 'Roedd Dylan a minnau'n heddychwyr ac yn sosialwyr o ran gwleidyddiaeth ond byddai dadlau mynych rhyngom ar fater cenedlaetholdeb Gymreig. Yn y diwedd, cytuno i anghytuno fu raid i ni. Buom ein dau yn cydweithio i roi cymorth i rai a ddymunai gofrestru fel gwrthwynebwyr cydwybodol ac 'roedd Dylan yn un o'r rhai fu'n tystio ar fy rhan pan oeddwn o flaen tribiwnlys. Bu ef yn gwasanaethu gydag Uned y Crynwyr yn ystod y rhyfel ond bu farw yn ddyn ieuanc iawn er mawr golled i'r genedl.

Pan gychwynnodd y rhyfel yr oeddwn yn parhau o dan oed consgripsiwn ond yr oedd amryw o'm cydnabod, er nad oeddynt yn gyfeillion agos, wedi cofrestru yn wrthwynebwyr cydwybodol. Cynhelid cyfarfodydd rheolaidd yn Swyddfa'r Blaid yng Nghaernarfon i drafod y sefyllfa ac i roi cadarnhad moesol i'r rhai a fyddai'n ymddangos o flaen tribiwnlysoedd. Byddai dadlau cyson yno ynglŷn â dyletswydd cenedlaetholwyr a oedd hefyd yn heddychwyr i sefyll ar dir cenedlaetholdeb Cymreig yn unig. 'Roedd J.E. Jones, trefnydd y Blaid, yn bendant iawn mai felly y dylai fod ac felly y safodd ef. Ar y llaw arall, teimlwn i fod heddychiaeth yn egwyddor bwysicach i mi hyd yn oed na pharhad Cymru fel cenedl. 'Roeddem ein dau yn ffrindiau mawr ac anghydweld cyfeillgar fu rhyngom. Ymhen blynyddoedd wedyn cefais gyfle i siarad mewn cyfarfod pan oedd J.E. yn ymgeisydd y Blaid mewn Etholiad Cyffredinol. Mae gennyf y parch mwyaf iddo fel un o'r rhai a roddodd wasanaeth rhyfeddol o ddi-ildio dros y Blaid. Cefais sgwrs gydag ef yn y swyddfa yng Nghaerdydd ychydig ddyddiau cyn iddo ein gadael.

Ni fynnwn i na neb arall geisio amddiffyn Hitler na'i lywodraeth am yr erchyllterau a gyflawnwyd ganddynt ond mae tuedd erbyn heddiw i ddarlunio'r sefyllfa fel pe bai'r Almaen yn ddu fel y frân a phob gwlad arall mor wyn â'r eira. Rhaid cofio y byddai Gwlad Pwyl a'r Almaen yn gynghreiriaid pe bai'r rhyfel wedi dechrau chwe mis ynghynt. Rhaid cofio hefyd fod cryn wrthwynebiad i'r rhyfel hyd at yr amser y cymerodd Churchill yr awenau. Cofiaf Lloyd George yn annerch llond pafiliwn o bobl, rai misoedd ar ôl cyhoeddi rhyfel, a'r miloedd yn galw am drafod yn hytrach na tharo, a'r siaradwr yn dweud 'Dydi'r gwaed ddim wedi dechrau llifo rhwng y *Siegfried* a'r *Maginot Lines* — oherwydd y glaw meddan nhw — wel diolch am y glaw yntê.' Dyna'r tro olaf i mi glywed Lloyd George yn siarad.

Clywais George M.Ll. Davies unwaith yn gwneud sylw treiddgar anghyffredin: 'Os lleddir digon o Almaenwyr fe enillir y rhyfel ond, cofiwch, nid wrth ladd pobl y gorchfygir Ffasgaeth na Natsïaeth — ar gas a rhyfel y maent yn ffynnu, a 'waeth faint o bobl a leddir fe ddaw'r aflendid i'r wyneb dro ar ôl tro.'

Bu Mr Ellis Davies farw yn ystod y cyfnod y bûm yn y swyddfa, a chwith meddwl mai'r tro olaf y gwelais ef oedd pan deimlodd reidrwydd i ddweud y drefn wrthyf.

'Roedd pedwar ohonom wedi mynd allan mewn car o'r eiddo Tom Ellis — Dr Tom Ellis yn awr — i Fethesda. Y fi a yrrai'r car i Fangor, dan arolygiaeth Tom, a oedd wedi pasio'i brawf gyrru, ond ym Mangor cymerodd ef yr olwyn i ddangos imi sut y dylwn wneud. Yn anffodus, ni sylweddolodd pa mor grwn oedd y tro hanner ffordd rhwng Bangor a Bethesda. Cawsom ddamwain y bu cryn sôn amdani; trodd y cerbyd drosodd a malu'n sgyrion. Credai Mr Ellis Davies, ac eraill o ran hynny, mai fi oedd yn debygol o fod yn gyrru'r car pan ddigwyddodd y ddamwain ond nid amheuodd fi am eiliad pan ddywedais nad felly yr oedd. Ei boendod oedd y gallem fod wedi cael ein brifo a'n gadael yn analluog. Dyna'r tro cyntaf, am wn i, i rywun dynnu fy sylw at y ffaith y gallai damwain achosi gwaeth canlyniadau i berson na chael ei ladd. 'Roedd yn awyddus i geisio ffrwyno tipyn ar fy awydd i fynd i bobman yn gynt na neb arall.

Pan ddaeth yr amser, cofrestrais fel Gwrthwynebydd Cydwybodol ar dir heddychiaeth a chenedlaetholdeb ac ymddangosais o flaen tribiwnlys dan gadeiryddiaeth y Barnwr Artemus Jones. Ymddangosodd Mr E.V. Stanley Jones ar fy rhan fel cyfreithiwr ac 'roedd eithaf criw yno yn gefn i mi, gan gynnwys y Parchedig Lewis Valentine. Cafodd fy ngwrthwynebiad ar dir cenedlaetholdeb Cymreig fwy o sylw na dim arall a chyfeiriwyd at *the Welshman who accused England of rape* ' yn y wasg drannoeth. Gorchmynnwyd i mi wneud gwaith ar y tir. Gofid i mi yw cofnodi fy mod ar y cychwyn wedi gwneud datganiad na fuaswn yn barod i dderbyn rhyddhad amodol ond i mi gyfaddawdu trwy dderbyn yr amod a pheidio ag anrhydeddu'r datganiad hwnnw. Gwn yn iawn ym mêr fy esgyrn beth oedd y llwybr y dylaswn fod wedi ei gerdded, a chymryd y canlyniadau. O dan bwysau cyfeillion a dadleuon y gallwn wneud llawer mwy dros eraill wrth aros â'm traed yn rhydd dewisais y llwybr hawdd. Camgymeriad oedd hynny. Byddai fy nhystiolaeth heddiw, a'm personoliaeth, yn llawer cryfach pe bawn wedi aros yn driw i'm hargyhoeddiad a wynebu carchar. 'Roedd yn amser anodd ac 'roedd hefyd yn anodd cyfiawnhau gwrthod gweithio i gynhyrchu bwyd tra oeddwn innau fel pawb arall yn barod i'w fwyta. Sut y gellid dadlau fod unrhyw ddrygioni mewn gwaith felly? Erys fy niffyg penderfyniad yn boendod i mi, a hynny yn bennaf am ei fod yn fy atgoffa fod bod ar delerau da â phobl yn elfen bwysicach yn fy mywyd na sefyll dros egwyddor.

Dyma'r amser y dechreuodd yr ymladd o ddifrif, a'r un pryd cymerwyd John Siop, cyfaill agos iawn, a wasanaethai fel milwr yn Andover, yn wael. 'Roedd ei rieni wedi eu galw ato a bûm yn eu cyrchu adref i'r Waun wedi i John farw.

'Roedd yn gyfnod anodd ac ysgytwol yn fy mywyd ond nid wyf yn ceisio hel esgusion am i mi, yng Ngorffennaf 1940, fynd yn was ffarm i Garreg Fawr, Waunfawr.

Yn gweini tymor . . .

'Roedd gan Bryn Pistyll ychydig erwau o dir a chofiaf yr amser pan gedwid buwch. Gwerthid peth o'r llefrith a gwneid menyn hefyd. 'Roedd buddai *end over end* at y gwaith ac 'roedd honno'n gwneud sŵn yr un fath â stemar bach Sir Fôn. (Bûm ar honno unwaith hefo fy nhad, a chofiaf iddi fynd ar y tywod wrth groesi a ninnau'n gorfod disgwyl i'r llanw godi digon i gael mynd ymlaen i Gaernarfon). Pan fyddai'n gynhaeaf gwair ym Mryn Pistyll byddai'n achlysur arbennig yn ein pen ni o'r pentref a digon o bobl i'w fwyta fo yn dod yno i'w gario.

Wedi rhoi'r gorau i gadw buwch 'roedd yn rhaid dal ati i hel gwair i'r gaseg a oedd yn 'cario allan' i'r siop. Yn aml iawn, byddai'r gaseg ynghyd â'r offer angenrheidiol, y gwas, a minnau i'w ganlyn, yn mynd i helpu i gario'r gweiriau mewn tyddynnod eraill yn ôl yr angen. Gan amlaf, caseg Bryn Pistyll hefyd a fyddai'n cael ei defnyddio yn llorpiau hers y pentref.

Yr hyn 'rwyf yn ceisio'i ddweud yw bod gennyf ryw gymaint o brofiad trin gwair cyn mynd i Garreg Fawr. Gallwn grybinio a defnyddio picwarch ac o dro i dro rhoddais gynnig ar dorri gwair hefo pladur. 'Roedd Mrs Williams, Garreg Fawr, yn digwydd pasio rhyw ddiwrnod ac mae'n debyg iddi weld fy ymdrechion. Hi, mi gredaf, a awgrymodd i'w gŵr, T.H. Williams, y byddai'n gwneud trugaredd â mi wrth fy nghyflogi'n bladurwr dros y cynhaeaf. Ffair Cricieth oedd yr amser traddodiadol i gyflogi pladurwyr ac, er nad yn y Ffair y cefais fy nghyflogi, ar ddiwrnod Ffair Cricieth y dechreuais ar fy ngwaith.

'Roedd peiriant torri gwair un ceffyl yn Garreg Fawr ond oherwydd ansawdd wyneb y tir nid oedd modd mynd â'r peiriant ar gyfyl sawl cae a gweirglodd, ac yn y caeau eraill 'roedd darnau'n cael eu gadael i'r bladur. Wrth edrych yn ôl ac o weld sut mae lleoedd fel Garreg Fawr yn cael eu ffermio heddiw mae'n anhygoel credu ein bod yn crafu rhyw gymun o wair o leoedd na fwriadwyd iddynt erioed weld pladur. Ond dyna fel 'roedd hi a byddai angen pob blewyn i gadw'r anifeiliaid yn fyw tros y gaeaf. Llwyddais i feistroli'r bladur yn fuan ac, yn bwysicach, dysgais hogi heb hogi'n grwn. Y swydd gyntaf bob bore oedd rhoi grud hefo bloneg ar y stric. Ar ôl trawo carreg hefo'r bladur — peth cyffredin ryfeddol — 'roedd rhaid defnyddio'r *carborundum*, ond peth i'w osgoi oedd hwnnw os oedd modd. Pan gawn bladur newydd rhaid fyddai ei rhoi ar y maen cyn iddi ddechrau ar ei gwaith. Torri, chwalu, troi, chwalu, cribinio, mydylu, a gorfod ail-wneud y gwaith dro ar ôl tro oherwydd glaw. Byddai'r cynhaeaf gwair yn dechrau ganol Gorffennaf ac yn mynd ymlaen yn ddiddiwedd. Buom yn cario gwair weirglodd yn Nhachwedd, ac o sôn am wair weirglodd, dim ond y rhai fu'n torri aceri o'r gweiryn caled hwnnw, yn enwedig pan fyddai'n sych, sy'n gwybod beth yw torcalon o waith. Dyna braf oedd dod i glwt o wair rhywiog a phlanhigion pwrs y bugail ynddo. Bryd hynny byddai gwrando ar sŵn y bladur, heb sôn am edrych ar y gwaneifiau, yn bleser pur. 'Rwy'n siŵr nad oedd dim maeth o gwbl yn y gwair weirglodd sych, byr ond 'roedd yn dda wrth rywbeth i gadw anifail rhag trengi ym Mawrth ac Ebrill.

Moses Griffith, gŵr a wnaeth gymaint dros amaethyddiaeth yng Nghymru, oedd perchennog Garreg Fawr ac fe gefais sawl sgwrs hefo fo. Bob tro y'm gwelai gofynnai a oeddwn yn 'parhau yn y ffydd'. Ceisiai ef ein perswadio i gario'r gwair weirglodd heb ei gynaeafu ond 'wnaethom ni ddim; 'doedd neb wedi clywed am silwair yr adeg honno am wn i. Pregethai hefyd fod dyfodol i'r cób Cymreig, a hynny pan allech brynu merlen am ychydig sylltau. 'Doedd y merlod mynydd a fyddai'n pori yn Garreg Fawr yn ddim ond trafferth parhaus y gallwn wneud hebddo, a disgynnodd ei eiriau ar dir garw. Felly hefyd ei gyngor i ni chwilio am fan ar y tir lle gellid gwneud llyn. Mynnai fod acer o lyn ddengwaith mwy cynhyrchiol na'r tir odano.

'Doedd dim cynhaeaf ŷd yn Garreg Fawr yn 1940. O'm safbwynt i'n bersonol 'rwy'n siŵr bod hynny'n fendith, gan i mi gael cyfle i ddod i adnabod y lle a sylweddoli beth oedd ynghlwm wrth geisio tynnu cynhaliaeth o ochr mynydd lle nad oedd fawr ddim tir â graen arno. Mae gennyf ryw syniad mai'r peth cyntaf a sylweddolais oedd fod cymaint o wahanol grefftau i'w meistroli. 'Wyddwn i'r nesaf peth i ddim am ddefaid cynt ond fe ddysgais mewn byr amser mai'r peth pwysicaf oedd eu cadw o fewn terfynau a chadw defaid pobl eraill o fewn eu terfynau hwythau. Gallaf weld wal fynydd Garreg Fawr o'r tŷ 'rwy'n byw ynddo heddiw a byddaf yn dweud yn aml fy mod wedi codi digon o fylchau yn y wal honno i fedru honni i mi ei hailadeiladu i gyd! Dysgu wrth geisio cyflawni fu raid i mi. 'Rwy'n amau bod ffermwyr y cylch wedi tybio mai chwilio am ryw hafan o sŵn y storm yr oeddwn yn Garreg Fawr ac nad oedd disgwyl i un fel fi wneud mwy na sefyll o gwmpas yn edrych ar rai eraill yn gweithio. Ychydig o bobl a sylweddolai'r gwewyr ysbryd yr oeddwn ynddo ac mor bwysig i mi oedd rhoi mwy o ynni yn fy ngwaith na neb arall.

'Rwy'n parhau yn heddychwr heddiw ac yn argyhoeddedig fy mod yn onest yn fy ngwrthwynebiad i fynd i ryfel yn 1939. Ond 'roedd amheuon gennyf. Pam y dylwn i fod yn wahanol i'r rhelyw? 'Fûm i erioed yn berson dewr iawn ac efallai mai ofn oedd wrth wraidd fy agwedd? Cofiaf drafod y pryder yma gyda'r diweddar Athro Hywel D. Lewis, ac yntau'n ceisio fy nghynorthwyo i ddatrys fy amheuon. Os oedd eraill yn dioddef yn y ffordd y teimlent hwy oedd yn dderbyniol, efallai mai'r ateb i mi oedd gweithio'n llawer caletach nag y disgwylid i mi wneud. 'Roedd yn rhaid i mi hefyd weithio'n galed i geisio anghofio mai yn y carchar am wrthod dyfarniad y Tribiwnlys y dylwn fod ac nid yn cerdded y llwybr hawdd. Felly dyma fwrw iddi gan ymlafnio â gwaith anghynefin i'r graddau na fedrai neb amau fy niwydrwydd a'm hegni, beth bynnag arall a feddylient ohonof. Ond fedrwn i ddim anghofio ac efallai mai'r hyn a wnâi bethau yn anos erbyn hyn, a'r rhyfel yn ei anterth, oedd y ffaith nad oedd gennyf galon i ddadlau fy safbwynt. Sut y gallwn i, o dawelwch Garreg Fawr, feiddio condemnio hogiau a oedd mewn uffern a minnau wedi gwrthod mynd gyda hwy?

'Beth wnaet ti pe bai'r Germans yn dŵad i'r Waun ac yn mynd i ladd dy fam? Fasat ti'n troi'r foch arall iddyn nhw wedyn?' Yr ateb parod wrth gwrs oedd, ''Wn i ddim ond mi wn mai'r peth faswn i ddim yn ei wneud fasai mynd i chwilio am eu mamau nhw a'u lladd.' Ond pa werth oedd clyfrwch felly pan oedd 'yr hogia' yn dioddef ac yn cael eu lladd? Ni chefais fy erlid ond 'rwy'n siŵr fod llawer yn teimlo'n oer tuag ataf, pa un a ddangosent hynny ai peidio. Yn wir, pwy allai eu beio?

Mae'n debyg mai'r dasg anoddaf i'w hwynebu oedd mynd i gydymdeimlo â theuluoedd milwyr a gollwyd. Cnocio ar y drws gan led-ddisgwyl ei weld yn agor ac yn cau'n glep yn fy wyneb. 'Ddigwyddodd hynny ddim, ond fe euthum trwy'r profiad gannoedd o weithiau yn fy meddwl cyn gwneud pob un o'r ymweliadau hynny.

Yr hyn a'm calonogai yn fwy na dim oedd bod fy ffrindiau'n dod i'm gweld yn Garreg Fawr pan oeddynt gartref o'r fyddin ac yn ymddwyn yn hollol naturiol hefo fi. Byddwn yn gohebu ag amryw ac 'roedd llythyru cyson rhyngof ac Albert ac Alun. Bu Albert yng Ngogledd Iwerddon a Ffrainc. Cafodd Alun amser anodd a pheryglus yn y llynges: 'roedd ar long a drawyd gan dorpido yn yr Iwerydd. Yr hyn sy'n rhyfedd yw mai i mi y dewisodd agor ei galon ar ôl y digwyddiad hwnnw a disgrifio'r erchyllterau a welodd pan aeth y rhan fwyaf o longau'r confoi i lawr. Soniodd am y dynion yn y dŵr yn sgrechian ynghanol olew yn llosgi, a heb obaith eu hachub na hyd yn oed ceisio gwneud. Gafaelodd yn dynn ynof a thorri ei galon.

Fe ddôi Wil Vaughan a John Gwilym Jones draw am dro i Garreg Fawr i edrych amdanaf o bryd i'w gilydd ac 'roedd yn braf cael sgwrs â rhai o'r un tueddiadau â minnau ynglŷn â'r rhyfel. Cofiaf Wil Fôn yn dweud stori am beth a ddigwyddodd i John Gwilym yn y cyfnod hwnnw. Pan fyddai rhywun wedi'i wylltio'n fwy nag arfer, 'roedd gan John ryw dueddiad i ddweud, 'Mae isio'i saethu o.' Cymerodd rhywun sylw o hyn a dweud wrtho, 'Rydw i'n synnu atoch chi, John, yn cymryd arnoch fod yn gymaint o heddychwr, ac isio saethu rhywun o hyd.' Daeth ateb John fel ergyd, 'Faswn i ddim yn heddychwr chwaith 'taswn i'n medru saethu'r bobl iawn.'

Fel yr âi'r amser ymlaen deuthum i wybod mwy a mwy am Garreg Fawr ac i ymgydnabyddu â chrefftau newydd. Llaw fechan sydd gennyf a chawn bleser digymysg o dynnu oen a'i gael yn fyw pan allasai yn hawdd fod wedi marw. Yn y cyswllt hwn mae arnaf ddyled fawr i O.P. Owen a oedd yn byw yn Ystrad Isa, ar y terfyn. 'Roedd yn feddyg anifeiliaid cefn gwlad tan gamp a phan fyddai buwch neu geffyl farw byddai'n cynnal post-mortem arnynt ac yn esbonio i mi beth allasai fod yn gyfrifol. Cymerodd ddigon o ddiddordeb ynof i wneud i mi awchu am gael trin anifeiliaid sâl, a byddwn yn gwneud hynny. 'Rwy'n siŵr y byddai'r RSPCA heddiw yn feirniadol iawn o'r hyn a wnawn ac o'r dulliau a ddefnyddiwn ond, o bryd i'w gilydd, llwyddais i gadw sawl anifail yn fyw, er iddynt efallai ddioddef poen yn ystod y driniaeth. Cofiaf unwaith gael cyngor sut i drin dyniawed yn dioddef o'r peswch (husk). Rhoddwn glwt yn dynn am gansen gref, ei blastro hefo *Stockholm tar* a'i roi i lawr corn gwddf yr anifail. Clywodd tyddynnwr ar y terfyn fy mod wedi mendio pedwar ar ddeg o anifeiliaid heb golli yr un a chafodd ei demtio i efelychu'r gamp. Yn anffodus, daeth ei gansen yn ôl o ymysgaroedd yr anifail heb y clwt!

O.P. Owen hefyd a'm dysgodd i aelio tas ŷd. Nid oedd Garreg Fawr erioed wedi cael ei hystyried yn fferm addas i godi grawn ond, fel sawl lle arall, daeth yn orfodaeth i wneud hynny. Caed eithaf cnydau ond ar draul cyrff ac amynedd yr oeddym yn llwyddo i'w cynaeafu. Byddwn wrth fy modd yn pladuro ŷd — crefft wahanol i dorri gwair. 'Roedd yn rhaid dal y bladur ar fy mraich a thorri i mewn i'r tyfiant gan ofalu fod pob arfod yn disgyn mewn modd y gellid codi'r ŷd hefo cryman i wneud ysgub. Fel yr âi'r cynhaeaf ŷd yn fwy ac yn fwy dysgasom sut i ddefnyddio'r peiriant lladd gwair trwy dynnu ei aden a rhoi sach i lusgo o'r tu ôl. Yna gellid tynnu'r ŷd oddi ar y sach fesul ysgub hefo cribin. Yng nghyflawnder yr amser daeth y beindar i wasanaethu ar rai o'r caeau mwyaf gwastad.

Cofiaf i Harri Thomas, Tyncaenewydd, gael gorchymyn i dyfu ŷd, a phan oedd yn dadlau nad oedd modd iddo ddyrnu'r grawn rhoed sicrhad iddo y deuai'r *War Ag* â dyrnwr i wneud y gwaith. Yn wir gwnaethant ymdrech deg ond fe gostiodd yn ddrud i'r wlad: trodd y dyrnwr trosodd. Harri Thomas oedd y gŵr â'i dir yn terfynu â gardd y gweinidog, yr annwyl Barchedig D.J. Lewis, a'i clywodd un diwrnod yn ebychu wrth dorri gwair, 'Maen nhw'n dweud bod y Duw mawr wedi cymryd saith diwrnod i wneud y byd 'ma. Biti ar y diawl na fasa fo wedi cymryd wyth, a'i wneud o'n wastad 'run ffordd.' Fe gâi Harri Thomas ddweud pethau felly ac fe gâi Mr Lewis lawer o hwyl yn eu hailadrodd.

'Roedd y Parch D.J. Lewis wedi cael gradd Dosbarth Cyntaf mewn Mathemateg yn Rhydychen ac fe ddywedodd Athro Coleg amdano rywdro, *'A brain like that being wasted as a non-conformist Minister in a back of beyond Welsh village!'* Fel llawer mathemategydd, 'roedd Mr Lewis yn *absent-minded* iawn ar brydiau. Mewn oedfa yn y capel un tro cododd ar ei draed i ollwng y gynulleidfa.

'Ac yn awr,' meddai 'mi ganwn ni Hen Wlad fy . . . Gras ein Harglwydd . . .' Dro arall clywais ef yn cloi'r gwasanaeth fel hyn: 'Gras ein Harglwydd Iesu Grist a chariad Duw, ac 'roedd yn dda iawn gennym ni weld Thomas Jones yn y Capel heno, a chymdeithas yr Ysbryd Glân a fyddo gyda ni oll. Amen.' Bu'n gefn mawr i mi ac ar ddiwrnod ei angladd cefais y fraint o fod yn organydd yn y gwasanaeth.

Y cyfnod cneifio oedd yr amser prysuraf a chan fod 'amser haf dwbl' yn ystod y rhyfel, peth cyffredin oedd cychwyn i hel defaid tua phedwar yn y bore a dal ati hyd un ar ddeg y nos. Peth cyffredin hefyd oedd mynd i ben Moel Eilian ddwywaith mewn diwrnod, a chofiaf imi fod yn ei phen deirgwaith ar fwy nag un achlysur gan hel defaid ar bob un o'r teithiau a'u corlannu ar y diwedd. 'Roedd gennyf gi yn gweithio imi, a golchid defaid nifer o'r ffermydd, yn cynnwys Garreg Fawr, yng Ngolchfa Gafl Widdan, a neb yn poeni dim fod tyddynnod yn is i lawr yn defnyddio dŵr yr afon at bob anghenraid. 'Roedd golchfa arall o dan greigiau'r Ystrad ac os byddai'r ddwy ochr yn golchi defaid yr un dydd byddai fy migyrnau'n gignoeth ar ôl lluchio defaid i'r dyfroedd.

Fel newyddian, dal y defaid i'r cneifiwr oedd fy swyddogaeth y ddau dymor cneifio cyntaf — y gwaith caletaf o'r cwbl. Yn yr un modd fy ngorchwyl ddiwrnod dyrnu fyddai symud y gwellt a ddôi o'r dyrnwr. 'Chymerwn i mo'r byd â chwyno ond y trydydd haf, ar ddiwrnod cneifio, galwodd Robert Griffith, Ty'n Ronnen arnaf a dweud, 'Mi ddylet ti fod yn cneifio bellach. Cymer y fainc 'ma, 'rwy i wedi blino.' Wrth reswm 'roeddwn yn gynefin iawn â gwellaif gan fod rhaid glanhau cynffonnau defaid a'u trin pan fyddent yn cynrhoni ond bellach 'roeddwn yn cael fy nerbyn fel cneifiwr! Fe aeth Robert Griffith i gryn drafferth i'm dysgu i gneifio'n daclus fel na byddai dŵr glaw yn aros ar gefn y ddafad. Tybiaf y buasai'n gwaredu pe bai'n fyw heddiw ac yn gweld y modd y cneifir â pheiriant heb ofalu yn y byd am y ffordd y rhed y gwellaif ar hyd cefn y ddafad.

Yr un modd, cefais ddyrchafiad ym myd y dyrnwr: yn lle bod y tu cefn i'r dyrnwr yn symud gwellt bob yn ail â chlirio'r peiswyn cefais fynd i dorri ysgubau ar ben y dyrnwr ac ymhen dim fi oedd yn gwneud y gwaith pwysig sef bwydo'r peiriant. Dyna fu fy swyddogaeth amser dyrnu am flynyddoedd o'r naill fferm i'r nesaf yn y cylch. 'Roedd yn waith caled ond yr hyn a gofiaf yn fwy na dim oedd yr arswyd a gawn o bryd i'w gilydd pan gyffyrddai pen fy mysedd â'r drym a chofio'r straeon am rai wedi cael eu tynnu i mewn i'r dyrnwr.

Cofiaf unwaith, ym Mhlas Isaf, Betws Garmon, i rywun gael dod ag ychydig lwythi o ysgubau ŷd a'r rheiny wedi eu rhwymo â thennyn bron cyn gryfed â'r ysgub ei hun. 'Roedd fy amynedd yn rhy fyr i ddisgwyl i'r torrwr wneud ei waith. 'Mi rho i nhw trwodd fel y maen nhw,' meddwn, ac felly y bu. Dôi sŵn fel gwn peiriant o'r dyrnwr wrth iddo lyncu'r tameidiau bras. Yn anffodus, methodd â dal y straen a thorrwyd peiriant drudfawr a oedd bron yn newydd. Gweld bai ar y ffermwr ac nid arnaf i 'roedd pawb ac fe lwyddwyd i ymgeleddu'r dyrnwr yn ddigon da i ddarfod y gwaith a mynd ar ei ffordd heb i'r perchennog sylwi.

Wrth ddod i waelod y teisi, yn aml iawn byddai llygod mawr yn dod allan, ugeiniau ohonynt weithiau. Gwelais rai yn mynd i mewn i'r dyrnwr sawl tro ac, yn amlach, gwelais gyrff rhai a laddwyd gennym yn cael eu rhoi ym mhocedi unrhyw siaced y byddai ei pherchennog wedi bod yn ddigon annoeth i'w gadael o'i olwg.

Y cneifio a'r dyrnu oedd y ddau waith lle dibynnai pob fferm am gydweithrediad ffermydd eraill a dyna pryd y deuwn innau i gysylltiad agos â'r ffermwyr a'u gweithwyr. Yn y cynulliadau hyn y cawn hanes pobl a hanes y cylch, a byddai'r prydau bwyd yn achlysuron i'w cofio. Mewn gwirionedd, cyfnodau byr yn torri ar draws bywyd neilltuedig ar ochr y Foel oedd y rhain. Weithiau cawn gwmni T.H. Williams, a elwid gan bawb ac a gofir fel 'Tom Garreg Fawr', ond yn amlach na pheidio ar fy mhen fy hun y byddwn.

Rhoddid pwysau mawr ar amaethwyr i wella eu tiroedd er mwyn cynhyrchu mwy o fwyd ac fe delid grantiau am agor ffosydd mewn tir gwyllt. Dyna waith oedd wrth fodd fy nghalon a chawn ryw foddhad rhyfedd mewn gweld darn o dir yn sychu. Awn allan yn gynnar ar ôl godro, hefo pecyn o fwyd, ac aros ar y ffriddoedd trwy'r dydd gan fugeilio yn awr ac eilwaith yn ystod tymor bwrw ŵyn. Gallaf gymeradwyo agor ffos fel therapi i unrhyw un sydd â phwysau'r byd yn drwm arno. 'Roedd y blino braf at y nos yn gyflwr y gallaf edrych yn ôl arno gyda hyfrydwch pur.

Wrth gofio am ffriddoedd Garreg Fawr 'rwy'n siŵr nad rhamantu 'rwyf wrth ddweud bod y tywydd wedi newid yn llwyr ers y cyfnod hwnnw. Caem eira bob gaeaf yn ddieithriad a byddai chwilio am ddefaid dan y lluwchfeydd yn beth cyffredin iawn. Weithiau byddem yn ddigon lwcus i'w cael yn fyw serch iddynt fod yno am ddyddiau, ond os oedd y lluwch wedi dod o'r gorllewin 'doedd dim gobaith gan fod yr eira mor wlyb ac yn eu mygu. Un gaeaf cofiaf i ryw ddwsin o ddefaid farw yn un criw hefo'i gilydd. Ni phoenid gormod am adael ambell ddafad ar ei phen ei hun heb ei chladdu ac os byddent yn ddigon agos i'r gwaith haearn neu'r tyllau chwarel 'roedd yn eithaf hawdd eu rhoi o olwg pawb. Y tro yma, fodd bynnag, euthum â rhaw i fyny i'r ffridd i geisio rhoi rhywfaint o bridd trostynt. Tra bûm yno ni pheidiodd dau fwncath â throelli uwch fy mhen gan ddod i lawr yn ddigon agos i mi fedru gweld eu llygaid. 'Rwy'n siŵr eu bod ar lwgu. Yr adeg honno byddai brain coesgoch yn nythu yn y gwaith haearn ac 'roedd degau o gudyll coch o gwmpas yn feunyddiol. Datblygais gryn ddiddordeb mewn adar, diddordeb sydd wedi parhau.

Deuthum i arfer â thraed a choesau gwlyb ac nid oedd wahaniaeth gennyf fod felly trwy'r dydd ond naw wfft i gefn gwlyb, a 'doedd dim tebyg i hen sach *Sulphate of Ammonia* i gadw hwnnw'n sych. O sôn am sachau *Sulphate of Ammonia*, 'roeddynt yn ddeugant o bwysau ac mae'n chwith cofio y gallwn eu cario. Cofiaf fy nain yn dweud y byddai sachaid o flawd peilliaid yn ddeugant a chwarter a gallaf feddwl, o gofio'r lleoedd y bûm yn cario blawdiau o'r siop, fod eisiau tipyn o nerth i fynd â hwy i ben eu taith.

Pan euthum i Garreg Fawr 'roedd yno un gaseg at waith a merlen go gref na chafodd erioed ei disgyblu ond a gedwid at fagu ac fel yr oedd y gwaith yn cynyddu fe gadwyd un o'i hepil. Llwyddodd Tom a minnau i'w 'thorri i mewn' ac fe fu'n gaffaeliad mawr cael dwy gaseg i gydweithio. Gofid yw cofnodi i ni geisio rhoi trefn ar ebol arall gyda chanlyniadau trychinebus. Aeth o'n gafael a gwnaeth lanast enbyd gan ei niweidio'i hun hefyd. 'Doedd fawr o ddiben i Tom a minnau feio'n gilydd ac fe fu'r digwyddiad yn destun cryn hwyl yn y Waun gan roi cyfle i rai roi cynnig ar eu gallu baledol. A bod yn onest, 'doeddwn i ddim yn or-hoff o geffylau, 'Roedd y gaseg a oedd gennym yn hynod anystywallt a gwyllt ac fe fu'n gyfrifol sawl gwaith am fy nghael i lawr o ben llwyth gwair cyn fy mod yn barod i ddod i lawr! 'Doedd dim eisiau i Tom ond sibrwd y gair 'Sadia' nad oedd hi i ffwrdd fel mellten. Pan awn â hi i'r efail i'w phedoli 'roedd yn rhaid ei llonyddu trwy ddefnyddio dulliau a fuasai'n dychryn yr RSPCA.

Y syndod yw fy mod yn hapusach yn delio hefo teirw na cheffylau. Cofiaf darw Garreg Fawr a tharw'r Ystrad yn ymladd â'i gilydd a minnau'n gorfod mynd i'w gwahanu heb ofni'n ormodol. Efallai mai'r ffaith bod gennyf bicwarch oedd y rheswm am hynny! Cofiaf Tom a minnau'n croesi un o gaeau'r Ystrad, heb ffon o gwbl, pan ddaeth y tarw amdanom. Buasai'n amhosibl cyrraedd y terfyn o'i flaen ac felly yn lle rhedeg oddi wrtho aethom amdano gyda'n gilydd ac fe dorrodd ei galon.

Mae cryn sôn y dyddiau hyn am bobl yn defnyddio ffrwydron i bwrpas anghyfreithlon. Syn yw cofio y byddem ni'n llwyddo i gael gafael ar ffrwydron a'u defnyddio yn aml, a hynny 'rwy'n siŵr yn groes i'r ddeddf. Pan nad oedd dim arall yn galw byddem yn tyllu creigiau ar y tir ac yn ceisio gwneud caeau yn haws eu trin. Gan chwarelwyr y caem y *gelignite* a'r *detonators*. Dysgais dyllu cerrig hefo ebill yn ddigon effeithiol ac ni fu unrhyw ddamwain o bwys wrth ddefnyddio'r ffrwydron. Serch hynny, cofiaf i mi unwaith ddefnyddio gormod o *gelignite* mewn carreg feddal yn rhy agos at Tŷ Isaf, lle 'roedd cegin allan hefo to sinc arni, a Thomas Rowlands yn wael yn ei wely. Fe faddeuodd imi! Byddai Tom yn ddigon eofn i roi'r *detonators* rhwng ei ddannedd i'w gwasgu am y ffiws ond methais i fagu'r hyder i wneud hynny. O ddiddordeb, weithiau cawn gur yn fy mhen ar ôl cario'r *gelignite* ym mhoced fy nhrowsus i'w gynhesu. Yn ystod y blynyddoedd diwethaf bûm yn cael cur tebyg wrth gymryd tabledi at *angina*; yn ôl a ddeallaf yr un sylwedd sydd ynddynt. Ac o sôn am ffrwydron, 'roedd Garreg Fawr yn fan lle 'roedd y *Commandos* yn ymarfer. Bûm ar y ffriddoedd fwy nag unwaith a chlywed bwledi'n chwibanu o'm cwmpas. Yn aml, byddwn yn dod i lawr o'r mynydd hefo cyflawnder o fwledi a bomiau mortar a adawyd ar ôl neu a wrthododd ffrwydro ar y pryd gan y *Commandos*.

Pan fyddai'r *Commandos* yn digwydd lladd anifail, ac nid oedd hynny'n beth anghyffredin, 'roedd hawl gan y perchennog i geisio cael ei ddigolledu. Ni chofiaf Tom yn gwneud cais o'r fath ond clywais am un ffermwr yn y cyffiniau na bu'r un anifail ar ei dir farw o achosion naturiol yn ystod y rhyfel! Pan oedd rhaid cael rheswm digonol i ddefnyddio petrol ar siwrnai neilltuol dywedid bod gan y ffermwr arbennig hwnnw lo a oedd wedi gweld pob man yr ochr yma i Birmingham. Bendith arno!

Cawsom un haf gwlyb anghyffredin, a llawer o'r tir erbyn hyn yn cynhyrchu grawn. Buom, trwy fawr drafferth, yn ddigon ffodus i'w dasu ond mewn cyflwr digon sâl. Fe'i dyrnwyd ond yr oedd y gyrnen ŷd yn poethi a cheisiwn innau ei throi i roi cyfle i'r grawn sychu a chael gwared â'r llwydni. Cymerwyd fi'n wael a soniwyd am

Farmers Lung Disease. Fodd bynnag, ni bûm yn hir yn gwella ond gadawodd yr afiechyd fi gydag asthma sydd hyd heddiw, o bryd i'w gilydd, yn achosi trafferth.

Sôn am Tom Garreg Fawr yr oeddwn — diddanydd cydnabyddedig ardal Waunfawr. 'Roedd yn fardd gwlad tan gamp a 'doedd eisiau fawr ddim esgus i agor y fflodiart i res o benillion. Canodd i bawb ac i bopeth yn y Waun ac anrhydeddwyd ef gan Lys yr Eisteddfod Genedlaethol a'i urddo.

Dywedai bob amser mai rhigymwr ydoedd ac efallai fod peth gwir yn hyn; fodd bynnag, gallai hefyd delynegu'n hyfryd ar dro ac 'roedd yn un o'r criw a gasglodd Dewi Emrys at ei gilydd a'u galw'n 'Feirdd y Babell Awen'. Efallai i'r ffaith bod odli geiriau yn dod yn rhy rwydd iddo ei wneud yn rhy ddiamynedd i gaboli a myfyrio. Dysgodd y cynganeddion a cheisiodd fy nghael innau i ymddiddori ynddynt. Cofiaf un gaeaf pan oedd y dyfroedd wedi rhewi a minnau'n gorfod corddi hefo llaw ac yn ceisio darllen *Yr Ysgol Farddol*, Dafydd Morgannwg yr un pryd. Pe bai'r oerfel wedi parhau'n hwy, efallai y byddwn innau wedi dysgu'r grefft yr adeg honno, pryd y buasai'n llawer haws dysgu nag y bu ddeugain mlynedd yn ddiweddarach pan deimlwn ryw ddyletswydd i ddeall gwyddor sy'n gwbl arbennig i ni'r Cymry. 'Roedd Tom a minnau'n gyfeillion da ac fe barhaodd fy nghyfeillgarwch â'r teulu tra buom yn cydoesi.

Ymhell cyn diwedd y rhyfel gallwn ddweud yn onest fod gennyf y sgiliau angenrheidiol ar gyfer ffermio ac y buaswn ar y pryd wedi bod yn falch o'i gwneud yn alwedigaeth am oes. 'Roeddwn yn aelod o'r *Young*

Farmers Club ac yn cymryd rhan mewn cystadlaethau rhwng clybiau. Cofiaf i mi unwaith fod yn un o dri yng ngornest derfynol siarad cyhoeddus y mudiad ac yn manteisio ar y cyfle i ymosod ar wleidyddiaeth un o'r beirniaid — Mr Goronwy Roberts!

Ni fu gennyf erioed gi defaid digon da i ennill mewn Ymrysonfa Cŵn Defaid ond cofiaf i mi ddod yn ail unwaith. Cefais y fraint o feirniadu yn Ymrysonfa Cŵn Defaid Betws Garmon, a threulio diwrnod hynod ddiddorol. Griffith Parry, Hafod y Rhug, oedd fy nghyd-feirniad, un o'r cymeriadau mwyaf lliwgar yn yr ardal. Yn ystod Diwygiad 1904 cafodd Griffith Parry ei achub ac aeth ymlaen am y Sêt Fawr yn y capel dan lefain 'Arglwydd Mawr, dyma i ti *specimen* o Bechadur.' Aeth y Diwygiad heibio ac nid oedd Griffith Parry ymysg y cadwedigion. Yn anffodus iddo fo, cadwyd yr achlysur ar gof gan ei gyfeillion ac am weddill ei oes byddai'n cael ei atgoffa mai '*specimen* o Bechadur ydoedd'! Dôi yr un criw i'r Rasys Cŵn flwyddyn ar ôl blwyddyn. Yn eu mysg 'roedd John Pritchard, Llithfaen, hefo'i het galed — corlannwr ardderchog; R.O. Williams, Trescawen, Sir Fôn gyda'r ci â phen gwyn a fyddai'n cael paent du ar ddechrau pob tymor er mwyn iddo allu dylanwadu mwy ar y defaid; a chofiaf un a fyddai'n rhoi curfa i'r ci cyn cychwyn er mwyn ei atgoffa fod yn well iddo wrando. Cofiaf Gwyrfai, Cilfechydd, Waunfawr yn troi at y beirniad pan oedd ei gi wedi gorwedd ac yn gwrthod symud, gyda chri o'r galon, 'Ga' i regi, plîs?' Oedd, yr oedd gweithgareddau ymylol ym myd amaethu a gyfoethogodd lawer ar fy mywyd i.

59

Daeth fy amser dan orchymyn y Tribiwnlys i ben yng ngwanwyn 1946 ond arhosais yn Garreg Fawr hyd ddiwedd y cynhaeaf ac yna'n ôl i swyddfa Mr. Ellis Davies yng Nghaernarfon.

Y Sawl na weithio, na . . .

Er pan euthum i Garreg Fawr yng Ngorffennaf 1940, nid oeddwn wedi edrych ar lyfr cyfraith. Un rheswm oedd prinder amser ond, a bod yn deg, y prif reswm oedd diffyg awydd. Yn wir, ni fuasai ddim gwaeth gennyf pe na bawn byth yn gweld llyfr cyfraith wedyn ond pan ddaeth yr amser i adael Garreg Fawr ni welwn fod unrhyw ddyfodol arall yn bosibl. Wedi penderfynu mai yn ôl yr oedd rhaid mynd, a'm hewythr yn barod i'm cadw yn ystod fy nghwrs, euthum ati o ddifrif i ailymgodymu â gwaith a oedd bellach yn hollol anghyfarwydd. A minnau bellach yn saith ar hugain oed, buan y sylweddolais nad oedd fy ngallu i gofio cystal ag yr oedd pan oeddwn yn llefnyn. I geisio cael fy meddwl ar waith trewais ar gynllun a oedd yn hynod lafurus ond, yn fy achos i beth bynnag, yn effeithiol. Eisteddwn am oriau ar ôl dod o'r swyddfa bob dydd yn gwneud crynhoad o'r holl lyfrau gosodedig. Gweithiwn yn ddiarbed hyd un a dau y bore, yn ymwybodol fod yn rhaid i mi basio'r arholiadau.

Yn ystod y cyfnod hwnnw aeth fy mhatrwm ysmygu allan o bob rheswm. 'Roeddwn yn gaeth i sigarennau er pan oeddwn yn ieuanc iawn ond tua diwedd y rhyfel, cyn gadael Garreg Fawr, dechreuais smocio pibell ac, fel y gweddai i was ffarm, smocio shag Baco'r Aelwyd, a'i gnoi hefyd, ond ni lwyddais i gyrraedd y safon a ddymunwn yn y grefft o boeri. Nid oedd wiw ysmygu shag yn y swyddfa ac felly 'roedd St. Bruno neu 'Cut-plug' yn gorfod gwneud y tro. Nid wyf wedi cael smôc er 1975, ac mae'n syn meddwl imi fod yn ysmygu hanner pwys yr wythnos yn ddi-feth am flynyddoedd gan anwybyddu sarhad y rhai a awgrymai bod fy mhibellau'n ogleuo o'r hyn y bûm yn ei garthu o'r beudái yn Garreg Fawr!

Gweithiwn ar lyfrau'r gyfraith am oriau lawer yn ddyddiol ar wahân i ddydd Iau pan arhoswn gartref i weithio yn y siop a chario allan gyda'r fen a ddisodlodd y drol a'r ceffyl er tua 1943. Wrth edrych yn ôl, mae'n chwith cofio y gallwn gario pwysau ar fy nghefn a fuasai'n ormod i mi edrych arno heddiw.

Bu gennym ddwy fen yn eu tro a chyflawnais gampau rhyfeddol gyda hwy. 'Roedd y gyntaf yn hen iawn ac ar yr olwynion ôl yn unig y gweithiai'r braciau. Ar dywydd sych, a phobman wedi crasu, 'roedd defnyddio honno ar dir glas serth a hithau'n llawn o ganiau paraffin yn gallu rhoi profiad ysgytwol i ddyn. Cofiaf i mi unwaith weiddi ar fy mrawd a oedd gyda mi i neidio ond wnaeth o ddim. Dro arall fe geisiodd fy ewythr neidio allan pan nad oedd yn ddoeth ceisio gwneud hynny ond trwy ryw lwc nid oedd ddim gwaeth. Adeg y blacowt 'roedd dreifio mewn lleoedd anhygyrch wedi nos yn hunllef. Fodd bynnag, fe'm dysgwyd gan rywun nad oedd ganddo fawr o feddwl o gyfraith a threfn sut i dorri rhan o'r rhwystr ar y lampau a'i gwneud yn haws ymgodymu. Ef hefyd a ddysgodd i mi fod modd cymysgu paraffin hefo petrol i'w ymestyn dipyn! Pan euthum yn ôl i fyd cyfraith rhoddais heibio'r cyfryw weithredoedd, yn ogystal â dal eogiaid gyda thryfer yng ngolau'r lamp!

Un tro cymerwyd Albert yn wael pan oedd gartref ar *leave* yn ystod y rhyfel. Bu am gyfnod yn aros ym Metws-y-coed i orffen gwella ac yn dianc adref pan gâi gyfle. Un nos Sul, a hithau'n eira mawr, 'roedd yn rhaid ei gael yn ôl. Aeth fy mrawd a minnau ag ef yn y fen, a rhawiau gyda ni. Llwyddasom, trwy fawr drafferth, gan ddefnyddio petrol na fwriadwyd iddo fynd â ni ymhellach na Chaernarfon, a dyna'r unig gerbyd a lwyddodd i fynd dros Fwlch Llanberis y diwrnod hwnnw. Hen fen fach dda oedd hi.

Pwysleisiais mor galed y gweithiwn ond mae'n deg dweud fy mod hefyd yn parhau'n aelod o gwmni drama Waunfawr a sefydlwyd gan W. Vaughan Jones ac a fu'n sefydliad pwysig yn y pentref am flynyddoedd. Enillodd Wil Fôn ar gyfansoddi drama yn Eisteddfod Genedlaethol Llandybïe, 1944. Y ddrama honno, 'Brwyn ar Gomin', drama hanesyddol yn ymwneud â hen hanes pentref Waunfawr, oedd y ddrama hir gyntaf a sgrifennodd ond trwy gydol y rhyfel yr oedd wedi bod yn cyfansoddi a chynhyrchu dramâu byrion yn flynyddol. 'Roedd Wil a'r Dr John Gwilym Jones yn bennaf cyfeillion, ill dau wedi bod yn Llundain yn athrawon ac wedi treulio'u hamser hamdden yn y fan honno yn mynychu'r theatrau. Daeth Wil â syniadau hollol newydd am y grefft i'r cylch. Cyn hynny, rhyw sbort diniwed oedd drama, a'r hwyl yn deillio, yn amlach na pheidio, o ddigwyddiadau yn ymwneud â chamgymeriadau'r actorion — pethau doniol iawn o bryd i'w gilydd. Cofiaf Ellis Jones yn chwarae rhan yn y ddrama 'Enoc Huws' lle'r oedd yn ofynnol iddo'i saethu ei hun neu farw'n sydyn ar y llwyfan. Fe wnaeth hynny, a disgyn yn eithaf effeithiol ond, yn anffodus, daeth ei arian o'i boced a rowlio i'r gynulleidfa. Bu rhaid i'r trancedig atgyfodi ar unwaith i achub ei gynilion rhag bysedd awchus plant y Waun. Credaf mai ef hefyd, mewn drama arall, a ddaeth i'r llwyfan yn yr ail act wedi anghofio ail-roi'r locsyn clust ar ôl ei dynnu i lanhau chwys yn ystod yr egwyl. Bu trafodaeth ddwys yn y gynulleidfa: pwy oedd y cymeriad newydd? Cofiaf ddramâu dirwestol a rhai o'r cymeriadau ar y llwyfan yn amlwg heb ddeall y neges y dymunai'r awduron ei chyfleu.

Os drama, wel ei gwneud hi'n iawn oedd agwedd Wil Fôn, a syndod i rai o'r actorion oedd gorfod deall na fyddent yn rhan o'r cwmni os parhaent i golli ymarferiadau heb reswm digonol. Loes i eraill oedd deall nad oedd eu doniau yn gyfryw ag i gael lle yn y cast. Peidiwch â meddwl am eiliad nad oedd hwyl yn gymysg â dysg. 'Roedd rhai aelodau o'r cwmni yn gymeriadau lliwgar ryfeddol. Dywedai John Gwilym am un aelod o'r cwmni, Bob Morris, mai ef yn anad neb arall yng Nghymru oedd yr actor naturiol gorau a welodd. 'Roedd ganddo synnwyr amseru perffaith. Ysgrifennodd Wil Fôn nifer o'i ddramâu gyda Bob Morris a Gwladys Lewis yn ei feddwl, ac i bob pwrpas 'roedd y dramâu hynny wedi eu hysgrifennu'n benodol ar eu cyfer hwy.

'Roedd Bob Morris yn un o feibion John Jones, Gwastadfaes, pen blaenor y Waun am rai blynyddoedd, a dyn trwm ym mhob ystyr. Trodd ataf yn chwyrn rhyw dro pan gyferchais ef fel 'Mr Jones'. 'John Jones ydw i,' meddai. 'Paid ti na neb arall fy ngalw i'n Mr.' 'Doedd Bob Morris ddim yn rhannu credo Fethodistaidd fanwl ei dad a chaem ganddo'r storïau rhyfeddaf am rai o'i helyntion. Bu'n gweithio yn y gweithfeydd glo am gyfnod ac yn cyd-letya gydag Owen Thomas o Waunfawr — 'saethwr da, a'r un mwya lwcus welaist ti erioed am ennill pres wrth chwara cardia.' Ymddengys i Bob Morris gyrraedd yn ôl i'w lety yn hwyr un noson a gwraig y tŷ yn ei gyfarfod gyda'r geiriau, 'Bob, mae Owen Thomas wedi cael ei achub.' Mae'n debyg mai ymateb Bob oedd, 'Nefoedd fawr, be wna' i rŵan?' Fe'i darluniai ei hun yn eistedd yn y parlwr am hydoedd yn ofni mynd i'r ystafell wely, ac yna'n mentro i mewn ac yn cael ei gyfarch, 'Bob, 'rydw i wedi fy rhoi fy hun i Iesu Grist.' Yr ateb, mae'n debyg, oedd, 'Wel do, felly 'dw i'n clywad.' Ac yna, wrthym ni, 'Wyddoch chi be, mi fuo Now yn yr ystafell wely am ddyddia yn gneud dim ond gweddïo ne' rwbath. Mi werthodd 'i wn ac mi gododd hynny o arian oedd gynno fo yn y banc a'u rhoi nhw i ryw gapal ne' rwla. Mi adawodd y gwaith ac mi aeth i ddysgu pregethu.'

Y gwir yw i Owen Thomas lynu wrth ei gredo newydd am weddill ei oes ac fe fu'n weinidog yn un o eglwysi mwyaf y De am flynyddoedd. Fe ddôi i'r Waun ar ei dro i bregethu ac fe fyddai'n holi am Bob ond, er na chlywais Bob erioed yn dweud gair sâl amdano, nid âi i'r capel i'w wrando.

'Roedd gan Bob gannoedd o straeon am y De a'r fyddin ond mae un yn sefyll allan. 'Wyddost ti am fedd Plas y Nant yn Betws lle bu'r Esgob yno'n sbesial yn cysegru'r lle? Selar sy' yno wyddost ti, a phan fu gweddw John Parry farw a'i rhoi yn y selar mi wyddan ni na 'doedd y lle'n cael ei selio tan y diwrnod wedyn. 'Roeddan ni wedi clywad 'u bod nhw wedi'i chladdu hi hefo'i modrwya, a sofrins rhwng i bysadd hi. Mi aethon ni yno ac mi gawson ni'r sofrins ond mi ddaru ni adael y modrwya rhag ofn 'i bod yn rhy beryg cael gwared â nhw. Wyddost ti pwy oedd yn cadw watch — Jenkins y plisman, yn barod i guro'r wal sinc ar bont lein bach hefo'i faton os basa rhywun yn dŵad.' Nid oes gennyf le o gwbl i amau'r stori ac 'roedd y manylion yn tanlinellu nad stori wneud oedd hi.

Er, neu efallai oherwydd, bod Bob Morris yn gymeriad mor lliwgar 'roedd rhyw ddealltwriaeth rhyfeddol rhyngddo a'r Parchedig D.J. Lewis. Bu'r gweinidog yn gynrychiolydd sirol dros yr ardal am rai blynyddoedd a Bob Morris oedd ei asiant pan fyddai'n sefyll etholiad. Gwnaeth waith rhyfeddol o dda yn y cyswllt hwnnw. Clywais Mr Lewis yn dweud sawl gwaith peth mor wych fyddai i Bob droi ei ynni i gyfeiriad crefydd. Mae'n wir i frwdfrydedd Bob ym myd y ddrama roi help mawr i'r achos gan geisio sbarduno rhywun neu'i gilydd i gychwyn drama arall: 'Diawl, oes yna ddim dylad capal ne' rwbath i hel pres ato fo?'

Cyn gadael Bob Morris rhaid cofnodi un hanesyn arall. 'Yli,' meddai wrthyf un tro, 'mae ci Ifan Meri Jên yn rhedeg ar ôl fy ieir i o hyd. Oes gen i hawl i roi'r 'ffernol iddo fo?' Atebais, 'Y gyfraith ydi fod ganddoch chi hawl i amddiffyn eich ieir os gwelwch chi'r ci wrthi'n ymosod ac mae ganddoch chi hawl i'w saethu, os oes raid, ar y pryd.'

Daeth Bob ataf ymhen ychydig ddyddiau a dweud, 'Mi gymerais i dy gyngor di. 'Roedd y ci'n pasio echdoe ac mi gefais afael arno gerfydd 'i goler ac mi rois lond ecob o dip defaid iddo fo ac mae o wedi cael ei roi o'r golwg.'

'Nefoedd annwyl,' meddwn innau, 'wnes i mo'ch cynghori chi i wneud dim o'r fath beth!

Ymateb Bob oedd, 'Paid â phoeni, wna i ddim dweud wrth neb mai chdi ddwedodd wrtha i am wneud, ac rydw i wedi claddu'r goler hefo fo fel na wnaiff neb ffendio dim. Biti hefyd, 'roedd hi'n goler dda.'

'Roedd John Awstin Jones, brawd Bob Morris, hefyd yn aelod o'r cwmni drama ac yntau hefyd yn gymeriad diddorol. Ef oedd yn gyfrifol am y coluro ac 'roedd yn gryn feistr ar y gwaith. Bu'n athro ysgol Sul arnaf am gyfnod ac 'rwy'n siŵr mai ef a wnaeth i mi ddechrau meddwl o ddifrif a defnyddio fy rheswm wrth ystyried hanesion yr arferwn eu derbyn fel ffeithiau anwadadwy.

Yn ystod un o dymhorau'r crwydro hefo'r ddrama bu rhaid i mi gael plât o ddannedd gosod, a chan eu bod yn peri peth rhwystr ar fy lleferydd byddwn yn eu tynnu a'u cuddio ar ddechrau pob perfformiad. Yn Neiniolen, 'roedd piano ar y llwyfan ac fe agorais y caead a rhoi'r dannedd yn y fan honno o'r golwg. Yn anffodus, ar ddiwedd y ddrama penderfynodd rhywun o'r gynulleidfa mai doeth fuasai canu 'Hen Wlad fy Nhadau' a daeth ymlaen i gyfeilio tra safem ninnau'r actorion yn llinell i dderbyn y gymeradwyaeth. Cofiaf droi at Gwladys Lewis a dweud, 'Yli'r blydi dannedd 'na,' a'r rheiny'n neidio i fyny ac i lawr o flaen y cyfeilydd. Ofnaf na thalwyd y parch dyladwy i'r Anthem Genedlaethol y noson honno!

Yn ystod tymor olaf y cwmni drama 'roedd iechyd Bob yn fregus iawn; yn wir, nid oedd yn symud rhyw lawer ac eithrio pan fyddai ar y llwyfan. Yr adeg honno hefyd 'roedd yn ddibynnol iawn ar gynnwys potel arbennig. Serch hynny, o'i weld ar y llwyfan ni fuasai neb yn amau fod dim yn bod arno. Bu farw ychydig ddyddiau ar ôl y perfformiad olaf.

Cymeriad arall diddorol anghyffredin fu'n aelod o'r cwmni drama oedd James Ll. Williams (James Post). Bu ar y môr pan oedd yn ifanc ond collodd un llygad ac fe wisgai orchudd du i guddio'r fan. 'Roedd yn ddiwylliedig ac yn wybodus mewn sawl maes, yn siaradwr cyhoeddus, yn grefyddol a theimladwy, ond yn un o'r rhai a fyddai'n cuddio'r ffaith nad oedd yn llwyrymwrthodwr. 'Roedd yn hynod gymeradwy mewn byd ac eglwys. Fel siaradwr cyhoeddus cofiaf y byddai ef a Wil Fôn yn manteisio ar bob cyfle yn y Gymdeithas Lenyddol i roi safbwyntiau hollol groes i'w gilydd. Yn y tridegau 'roeddym oll yn awchu am fod yn bedair ar ddeg oed er mwyn cael ymuno â'r Gymdeithas. Pan ddôi'r amser i gymryd rhan gyhoeddus yno nid oedd dim a rôi fwy o hyder i neb nag edrych ar James Post yn y gynulleidfa. 'Roedd ef y gorau erioed am galonogi siaradwyr ieuanc; gwrandawai'n astud a rhoi'r argraff ei fod yn mwynhau pob gair.

Mewn un cyfarfod o'r Gymdeithas 'roedd trafodaeth ar 'Ryfeddodau'r byd heddiw', a nifer o bobl ieuanc yn cymryd rhan. Yn y drafodaeth ar y diwedd cododd James, yn ôl ei arfer, gan drafod yn hwyliog y gwahanol bethau a welodd ar ei fordeithiau. Ar ganol ei draethu stopiodd yn sydyn gan ddweud mewn llais yn llawn emosiwn, 'Ond am be ydw i'n siarad deudwch, am be ydw i'n siarad?:

> Ymhlith holl ryfeddodau nef
> Hwn yw y mwyaf un,
> Gweld yr anfeidrol ddwyfol Fod
> Yn gwisgo natur dyn.'

Ni theimlais na chynt na chwedyn ddistawrwydd tebyg yn unlle. Cododd y gweinidog, Y Parchedig D.J. Lewis, ar ei draed gan ddweud, a'r dagrau'n rhedeg i lawr ei ruddiau, 'Fe awn ni adref gan wybod i ni gael profiad a fydd gyda ni am byth ac mai da oedd i ni fod yma.'

'Roedd gan James Post doreth o straeon tan gamp. Pan ddaeth Dr Meirion Hughes yn feddyg i'r Waun 'roedd James ac yntau'n gyfeillion mawr. Daw i'm cof mai'r car cyntaf a welais wedi cael ei falu mewn damwain oedd un Dr Meirion ar ôl methu'r tro ar waelod Gallt y Bont yn y Waun. Credaf fod James gydag ef yn y car ar y pryd — nid oedd Dr Meirion chwaith yn llwyrymwrthodwr. Mab i'r Parchedig Moelwyn Hughes ydoedd, a chofiaf James yn sôn iddo ef a'i ffrind gyrraedd y cartref yn Birkenhead yn hwyr un noson a Mrs Moelwyn Hughes yn dweud y drefn am y cwrw. 'Ond rydw i'n 'i lecio fo, mam. Mae o'n dda,' oedd ei ateb. James a roes yr hanes i mi am Dr Meirion yn gofalu am wraig yn esgor ar faban ac yntau'n gorfod dweud nad oedd obaith iddo fyw. 'Roedd y teulu'n ofidus iawn y gallai'r baban farw heb gael ei fedyddio. Diwedd y stori oedd geiriau Dr Meirion, 'Mi bedyddiais i o i'r diawl.'

Bu Nyrs ofalus iawn, ond braidd yn orgrefyddol, yn gofalu amdanom yn y Waun ar un cyfnod. Gwelodd hi fod James yn ysmygu a cheisiodd ddwyn perswâd arno i roi'r gorau i'r arferiad. 'Wyddoch chi,' meddai, 'geiriau olaf fy nhad oedd gofyn am ei getyn.' 'Ddaru chi ei roi o iddo fo?' gofynnodd James, a chael yr ateb anfarwol, 'Naddo wir, 'doeddwn i ddim am iddo fo gyfarfod â'i Waredwr ag oglau baco ar ei wynt o!'

Ond sôn am fynd yn ôl i swyddfa Ellis Davies a'i Gwmni yr oeddwn! Fel y dywedais eisoes, 'roeddwn yn gweithio'n galed ar gyfer fy arholiadau ac yn manteisio ar bob cyfle yn y swyddfa i astudio. Am gyfnod 'roeddwn yn hynod ymwybodol fy mod wedi treulio blynyddoedd ar y tir yn gwneud gwaith oedd o wir fudd i bawb, tra oeddwn bellach yn ddim amgen na rhywbeth yn paratoi i fyw ar draul pobl eraill. Ymwelwn â'r Llysoedd yn bur reolaidd a chan fod Mr Richard Ellis-Davies yn Is-Siryf byddwn yn ymwneud â dewis rheithwyr i'r Llys Chwarter a'r Seisys. Hyn, yn fwy na dim arall mae'n debyg oedd y rheswm am i mi gael y gwaith o gyfieithu yn y Llysoedd hyn am gyfnod. Dyna'r pryd y bûm yn bresennol mewn achos o fwrdwr pan ddedfrydwyd gŵr o Fôn i gael ei grogi. Cofiaf yr ymgiprys am gael mynediad i'r Llys y diwrnod hwnnw i weld y seremoni baganaidd pan lefarai'r Barnwr y truth traddodiadol '. . . *and there hung by your neck until you are dead.*' ac yn rhoi capan du ar ei ben tra oedd y Caplan yn yngan, '*And may God have mercy upon your soul.*' Ni wn beth y mae'n ddweud amdanom fel pobl ond 'roedd yr ysfa i gael bod yn rhan o'r ddrama aflan yn gryf iawn ac mae'n syndod gennyf ein bod wedi gwneud i ffwrdd â chrogi yn wyneb y boddhad mawr a gâi'r cyhoedd yn yr holl fusnes.

Mae un achos arbennig yn aros yn fy nghof o'r cyfnod hwnnw. Achos o Sir Fôn ydoedd: gŵr yn cael ei gyhuddo o dreisio merch ieuanc a'r ffeithiau yn debyg iawn i gannoedd o achosion eraill. Yn ôl y ferch, 'roedd wedi derbyn cynnig y gŵr i'w danfon adref yn ei gar ond ar y ffordd fe stopiodd y car mewn lle unig, cymerodd fantais arni a chael cyfathrach rywiol â hi yn groes i'w hewyllys cyn ei chludo i ben ei thaith. Yn ôl tystiolaeth y dyn 'roedd popeth wedi digwydd gyda chaniatâd y ferch. Bûm yn cyfieithu yn ystod yr achos a barhaodd am gryn amser. Aeth y rheithgor allan i ystyried eu dyfarniad a dod yn ôl ar ddau achlysur i ofyn i'r Barnwr am fwy o gymorth. 'Roedd teimlad yn y Llys eu bod yn debyg o fethu â chytuno. Fodd bynnag, yn y diwedd daethant yn ôl yn gytûn fod y gŵr yn euog. Dyfarnwyd ef i dair blynedd o garchar a'r hyn sy'n anhygoel yw i'r ddau briodi yn fuan ar ôl iddo gael ei ryddhau. 'Roeddwn yn bresennol yn y Llys trwy'r achos ac eto ni wn ymhle 'roedd y gwir i'w gael. Lawer gwaith ar ôl hynny cyfeiriais at yr achos fel esiampl i ddangos mor beryglus yw lleisio barn am y ffeithiau mewn achos o'r fath ar sail yr hyn a ddarllenir mewn papurau newydd. Yn bersonol 'rwyf wedi â methu dod i benderfyniad mewn achosion tebyg dro ar ôl tro, a minnau wedi clywed yr achos ar ei hyd.

Cyn sefyll fy arholiadau terfynol bûm am bedwar mis mewn coleg cyfraith yn Guildford ac fe ddywed pawb a fu ar y cyrsiau hynny fod angen ymroddiad a chryfder meddwl a chorff i'w cwblhau. Cofier, yr adeg honno, 'roedd bron pob un o'r myfyrwyr wedi hen basio'r oed arferol i fod yn ymlafnio â materion astrus a cheisio rhoi ar gof ddirgeledigaethau cyfreithiau Lloegr yn eu crynswth. Yn wir, yr hyn oedd yn ysgytwol oedd clywed, bron yn ddyddiol, am hwn-a-hwn wedi torri i lawr a mynd adref. Cofiaf fy mod, dan y straen, yn methu â chysgu o gwbl. Byddwn yn ceisio gweithio hyd ryw ddau yn y bore ond erbyn hynny gwrthodai'r meddwl dawelu a bu bron i minnau ddod adref. Aros a wneuthum fodd bynnag a sefyll yr arholiadau ond mae'r lluniau ohonof a dynnwyd ar ôl dod adref yn dangos fy mod wedi colli llawer o bwysau yn yr ymdrech. Yr adeg honno 'roedd yn rhaid gwneud y papurau i gyd yn ystod un wythnos o arholiadau a phasio ym mhob papur heb hawl ailgynnig. Yn ddoeth iawn, mae'r drefn wedi newid ers blynyddoedd. Amser disgwyl canlyniadau oedd hi bellach a cheisio penderfynu beth a wnawn pe bawn wedi methu. Tybed a allwn gael nerth o rywle i weithio gartref ac ailsefyll?

'Roeddwn wedi cadw cysylltiad agos â Garreg Fawr a bûm yno'n aredig tra'n disgwyl canlyniadau'r arholiad. Erbyn hyn 'roedd Tom wedi cael tractor, Fordson bach a oedd yn cychwyn ar betrol ac yna'n gweithio ar baraffin. 'Doedd hwn, mwy na'r gaseg, ddim yn hawdd ei drin ac wrth geisio ei danio unwaith cefais gic nes oeddwn ar lawr a thybiais am ychydig fy mod wedi torri fy nghlun. Mae cic peiriant sy'n cael ei danio gan fagneto yn rhywbeth nad anghofir mohono ar frys. 'Roedd y tractor, mae'n debyg, yn ernes o'r newid mawr a ddeuai ym myd amaeth. Ymhen dwy flynedd wedyn 'roeddwn yn ceisio meistroli ffordd newydd o gneifio ond ni chefais ddigon o ymarfer i ddysgu'n drwyadl. Fodd bynnag, 'roedd hynny o ymarfer a gefais yn ddigon i brofi bod y newid yn ormod i mi ac nad oedd yr un pleser i'w gael mwyach. Parheais i gadw defaid fy hun am ryw ddeng mlynedd wedyn cyn rhoi'r gwellaif yn addurn ar bared y tŷ.

Sôn yr oeddwn am yr amser ar ôl yr arholiadau. Ers tro bellach 'roedd Mary a minnau'n canlyn ein gilydd ac wedi llythyru'n gyson tra bûm yn Guildford. Ysgrifenyddes i Mr Gwilym T. Jones, Clerc Cyngor Sir Gaernarfon oedd hi ar y pryd, gŵr a fu farw'n ieuanc ar ganol gyrfa hynod o ddylanwadol ym myd llywodraeth leol yng Nghymru. Galwodd arnaf i'w ystafell un diwrnod ac ar ôl fy siarsio fod yr hyn a drafodem yn gyfrinachol, gofynnodd i mi a fuaswn yn rhoi help i gadw gwaith R. Williams Parry ar gof a chadw. 'Roedd y bardd wedi tynghedu na châi ychwaneg o'i waith, ar ôl Cerddi'r Haf, ei gyhoeddi. 'Rwy'n digwydd credu ei fod yn un o feirdd mwyaf Ewrop,' meddai Gwilym T. Jones, 'ac 'rwyf wedi trefnu hefo Tom Parry yng Ngholeg Bangor i ddau o'i fyfyrwyr ddod i'r swyddfa atom hefo darnau o'i waith, rhai mewn cyfnodolion ac eraill mewn llawysgrif. Mi wnaiff Mary wneud *stencils* ond, gan mai Cymraeg Lerpwl sydd ganddi, a wnewch chwi ddod gyda hi i helpu? Cofiwch, 'rydan ni'n torri'r ddeddf wrth wneud hyn a 'does wiw i neb gael gwybod.' Wrth reswm 'roeddwn yn fwy na pharod ac yno y buom noson ar ôl noson yn gwneud trefn ar waith y bardd. Cloriau papur a roed ar y llyfrau a wnaethom, er y credaf i Mr Gwilym T. Jones anfon un i'r Alban i gael clawr da arno. Ymhen blynyddoedd, a chyneddfau R. Williams Parry yn pallu, gofynnwyd iddo am ganiatâd i gyhoeddi ei waith diweddar. Erbyn hyn 'doedd ganddo ddim gwrthwynebiad a phan ddywedwyd wrtho fod ei waith wedi ei hel at ei gilydd, bodlonodd, a chyhoeddwyd *Cerddi'r Gaeaf.* Trwy lwc ryfeddol, mae gan Mary a minnau hawl i ddweud ein bod yn rhannol gyfrifol am ddiogelu ei waith.

Pasiais yr arholiadau ac 'roedd hynny'n rhyddhad mawr imi, a mawr oedd y llongyfarch, er, rhaid dweud mai gan un o'r ffermwyr a adwaenwn y cefais y cyfarchiad mwyaf gwreiddiol. 'Wyddost ti,' meddai, 'mae'r hen Waun 'ma wedi codi llawer o ddoctoriaid a gweinidogion ac athrawon, amryw yn dy deulu di, ond dyma'r tro cyntaf i neb o'r Waun fod yn dwrna, a dydw i ddim yn siŵr ydi o'n rhywbeth y medri di na'r lle 'ma ymfalchïo ynddo fo.'

'Roedd J.E. yn sefyll etholiad ac Ymgyrch am Senedd o fewn Pum Mlynedd yn cael ei chynnal yr un pryd ag yr oeddwn innau'n chwilio am fan i roi fy ngwybodaeth newydd ar waith.

Fel y soniais ynghynt, bûm yn siarad ar ran J.E. yn ystod ei ymgyrch etholiadol ac fe ofynnodd i mi a fuaswn yn gweithredu fel asiant iddo gan fynegi ei obeithion y buaswn yn y dyfodol yn cymryd rhan yn y frwydr wleidyddol. Er i mi ar un cyfnod fod â'm bryd ar ddyfodol yn y cyfeiriad hwnnw nid oeddwn bellach mor sicr ac fe wrthodais gynnig J.E. 'Rwy'n siŵr mai cyfnod fy myfyrdod ar ffriddoedd Garreg Fawr oedd y rheswm fy mod bellach yn credu nad hunanlywodraeth i Gymru oedd yn bwysig ond yr ymdrech i ymgyrraedd at hynny, ac mai brwydr ysbrydol ac nid un wleidyddol ydoedd. Ni chredaf fy mod erioed wedi llwyddo i esbonio fy athroniaeth yn effeithiol i neb, ac felly 'does fawr o obaith gwneud hynny yn awr. Mae gan Gymru fel pob cenedl arall hawl anwadadwy i reoli ei bywyd ei hun ond, yn fy marn i, nid yr hawl hwnnw sy'n bwysig, ond fod Cymru, trwy ryw fodd neu'i gilydd, yn dod i sylweddoli fod ganddi gyfrifoldeb i ymgymryd â phwysau hunanlywodraeth er mwyn ei galluogi i roi gwasanaeth teilwng i weddill y byd. Felly, ni fynnwn ein gweld ni'n cael hunanlywodraeth ar blât fel petai. Ni theimlais ddim erioed ond yr atgasedd llwyraf at y Blaid Dorïaidd ac ni chefais achos i feddwl yn wahanol yng nghyswllt yr un o'i pholisïau. Credaf fod ei hathroniaeth yn sylfaenol afiach a bod llawer o'r trafferthion a wynebwn heddiw yn ganlyniad porthi uchelgais unigolion a dibrisio pwysigrwydd cymdeithas. Fodd bynnag, bu amser pryd y buaswn yn barod i gefnogi'r Blaid Lafur pe na bai gan Blaid Cymru ymgeisydd yn yr ornest. Er fy mod wedi hen sylweddoli bod Llafur, fel plaid, yn elyniaethus tuag at Gymru a Chymreictod, yr oedd ganddi gymaint o aelodau a edmygwn ac a barchwn, pobl o ddelfrydau aruchel a adlewyrchai werthoedd sosialaidd gwreiddiol y blaid, fel ei bod yn dderbyniol gennyf. Yn wir, cofiaf bleidleisio i Goronwy Roberts pan nad oedd gan Blaid Cymru arian i ymladd etholiad. Erbyn hyn, fodd bynnag, ni welaf fawr o wahaniaeth rhwng y Blaid Doriaidd a'r Blaid Lafur; o'r ddwy, efallai bod y Blaid Doriaidd yn llai rhagrithiol. Felly, pe bai Llafur yn ffurfio llywodraeth fe fuaswn i, yn bersonol, yn ymwrthod ag unrhyw Gynulliad y gallasai ei gynnig i ni am na allwn gredu y byddai'r cymhellion yn ddilys. Mae'n siŵr ei fod yn deg dweud y daw'r amser y bydd Plaid Cymru yn gorfod cyfaddawdu gormod er mwyn ennill a chadw poblogrwydd ond rwy'n gobeithio na ddigwydd yn fy oes i.

Credaf fod yr ymwybyddiaeth mai rhoi gwasanaeth yn hytrach na mynnu hawliau sy'n bwysig ym mywyd unigolion a chenhedloedd wedi lliwio fy agwedd yn y modd y dylid wynebu anawsterau mewn llawer cylch. 'Rwy'n siŵr mai dyna'r agwedd sy'n dderbyniol o safbwynt moesoldeb ond hefyd, yn y pen draw, dyna'r un sy'n dwyn ffrwyth. Swydd gwleidyddion yw cyrraedd eu nod cyn gynted ag sy'n bosibl ond, i mi, mae'r ymdrech i ymgyrraedd, a hynny heb dorri corneli, yn anhraethol bwysicach. Yn yr ymdrech mae'r wobr. Yng nghyswllt y genedl, yn yr ymdrech y mae'r gobaith iddi sylweddoli bod ganddi enaid a bod gwerthoedd uwch na llwyddiant materol. 'Rwy'n siŵr fod hyn yn swnio fel pe bawn yn gynddeiriog o egwyddorol; y gwir yw fy mod y peth pellaf o fod felly, ond pan gaf syniad yn fy mhen nid yw'n hawdd i mi ei ollwng.

Rhyw geisio esbonio yr wyf fy mod yn y cyfnod hwnnw wedi sylweddoli'n araf bach nad ar lwybr gwleidyddol, yn ei ystyr arferol beth bynnag, yr oedd fy nyfodol i fod.

. . . a fynno ymgyfreithio â thi . . .

Yn nechrau 1950 yr oedd miloedd o bobl broffesiynol o'm hoed i yn dod ar y farchnad, y mwyafrif yn gyn-filwyr yr oedd y rhyfel wedi eu gorfodi i roi eu hastudiaethau o'r neilltu am gyfnod, ac ofnwn na byddai'n hawdd i mi gael swydd, yn enwedig swydd yn y cylch. Clywais y gallasai fod swyddfa cyfreithwyr yn Llangefni, R. Gordon-Roberts & Co, eisiau cyfreithiwr cynorthwyol ac euthum yno i gael gair gyda'r partneriaid, Mr R. Gordon-Roberts a'i ferch, Sylvia Gordon-Roberts. Gwyddwn mai cwmni traddodiadol ydoedd a bod gan Mr Gordon-Roberts gefndir Torïaidd.

Bu'r cyfweliad yn un digon hapus ac yr oedd yn amlwg fod y ddau'n awyddus i roi cyfle imi. Hyd yma nid oeddwn wedi sôn dim am fy ngorffennol ond, o wybod cefndir y teulu, teimlwn mai cyfiawn, beth bynnag am ddoeth, oedd dweud wrthynt fy mod wedi bod yn wrthwynebydd cydwybodol yn ystod y rhyfel rhag ofn yr hoffent ystyried hynny cyn penderfynu'n derfynol. Ni fuont fawr o funudau yn trafod cyn dweud na fyddai hynny'n rhwystr o fath yn y byd. Yn ystod y blynyddoedd y bûm gyda'r cwmni cyfeiriwyd at fy natganiad sawl gwaith fel un a roesai sêl ar eu hyder y byddem yn cyd-dynnu.

'Roedd Llangefni a Waunfawr yn llawer pellach oddi wrth ei gilydd yn 1950 nag ydynt heddiw ond 'roeddwn yn benderfynol o barhau i fyw yn y Waun os oedd modd yn y byd. Prynais gar, Wolseley Wasp 1936, am £150 ond gwyddwn na allwn ei ddefnyddio yn ddyddiol i gyrraedd Llangefni gan fod dogni ar betrol. Felly defnyddiwn drafnidiaeth gyhoeddus yn aml gan gychwyn o'r Waun am 7.15 y bore a chyrraedd yn ôl tua saith y nos, ac aeth hyn ymlaen am gyfnod lled faith. Teg yw cofnodi hefyd nad prinder petrol yn unig oedd yn gwneud bywyd yn anodd. Nid oedd cyflwr y Wolseley Wasp yn gyfryw ag i roi sicrwydd y byddwn yn y swyddfa mewn pryd bob amser nac y byddwn yn cyrraedd adref ar yr amser a ddymunwn ac yn y cyfnod hwn y datblygais fy ngallu fel mecanic nes dysgu trin peiriant y car gystal â fawr neb. Gwyddwn am ei bechodau parod a byddwn yn cario *ball-race* ar gyfer yr olwynion blaen yn barod i'w newid ar ochr y ffordd yn ôl yr angen. Y broblem waethaf oedd y braciau diffygiol a'r *cut-out* rhwng y deinamo a'r batri. 'Roedd rhaid gwneud gwyrthiau hefo *paper-clip* — ei roi yn y *cut-out* gynted ag y taniai'r injan a'i dynnu wedyn i'r peiriant stopio.

Rhyfeddod, wrth edrych yn ôl, yw cofio i Mary a minnau fynd am wyliau yn y Wolseley mor bell â Chernyw, tros y Porlock Hill a gorfod aros ar ben yr allt er mwyn i'r injan oeri digon i roi dŵr ynddi. Aethom ymlaen ar hyd De Lloegr nes cyrraedd Llundain lle 'roedd modryb i Mary yn byw gyda theulu uchel-ael mewn fflat yn un o'r adeiladau anferth ynghanol y ddinas. Cofiaf yrru i mewn i'r adeilad, Rolls Royce o'm blaen a Bentley tu ôl, a minnau'n gorfod neidio allan i agor bonet y car a thynnu hoelen o'r *cut-out* i stopio'r peiriant.

Wrth edrych yn ôl, yr hyn sy'n fwy amlwg na dim yw'r newid rhyfeddol a fu hyd ffyrdd y wlad ac fel mae safonau ceir a gyrwyr wedi gwella'n sylweddol. 'Roedd gŵr o'r

Groeslon yn gweithio yn Llangefni yr un cyfnod â mi ac 'roedd ganddo Ford 8, a oedd, fel fy ngherbyd innau, wedi gweld dyddiau gwell ond eto'n ddigon da i'r ddau ohonom wneud y daith foreol yn fwy diddorol trwy gael ras os digwyddem weld ein gilydd ar y ffordd. 'Roedd yr Wolseley rywfaint yn gyflymach ond pa werth oedd hynny os oedd fy nghyfaill o'm blaen ac yn gwrthod rhoi lle i mi basio? Un diwrnod 'roeddwn yn dynn wrth ei sodlau yn cyrraedd Pont y Borth ac o weld fod y bont yn glir fe'i goddiweddais dan y bwa ar yr ochr dde. Bron nad aeth i lewyg o'm gweld yn chwyrnellu heibio. 'Wel am gythral o beth i'w wneud,' meddai. 'Twrna ar y diawl!' Ni pheidiodd ag edliw'r peth tra bu byw.

Pan ddaeth yr amser i newid car cefais drafferth i gael gwared â'r Wolseley a dim ond £25 a gefais amdano yn y diwedd. Yn eironig iawn, 'roeddwn yn methu â thanio fy nghar newydd pan ddaeth prynwr yr Wolseley heibio, a gorfu imi wynebu'r cywilydd o ofyn am gael fy nhynnu gan yr hen gar er mwyn tanio'r car newydd!

Ond am fod yn gyfreithiwr y cawn fy nhalu. 'Nid canmol yr ydwyf, ond dwedyd y gwir', 'roedd y modd beichus y bu'n rhaid imi ailymgymryd ag astudio'r gyfraith wedi talu'r ffordd. Yn lle dibynnu'n llwyr ar fy nghof, 'roeddwn yn deall ac yn medru rhesymu'n bur dda ym maes cyfraith. Gwaith yn y swyddfa ynglŷn â phrynu a gwerthu eiddo a phrofi ewyllysiau oedd, mi deimlwn, fy arbenigedd a hyderwn mai dyna'r hyn y disgwylid i mi ei wneud yn Gordon-Roberts & Co. Gwir iawn, fe ddisgwylid i mi wneud y gwaith yr oeddwn yn gynefin ag ef ond buan y sylweddolais fod gan Mr Gordon-Roberts fwriadau eraill.

Pan euthum i Sir Fôn 'roedd Mr Gordon-Roberts yn 79 mlwydd oed, yn ddyn bychan a'i ruddiau'n rhychiog a'i wallt cyn wynned â'r eira, ond 'roedd ei feddwl mor loyw â dyn hanner cant oed yn anterth ei allu. Yr oedd, i bob pwrpas, wedi byw yn y llysoedd ac wedi ymwneud â phob math o achosion, yn fwrdradau — rhai ohonynt yn nodedig — a hyd yn oed teyrnfradwriaeth. Gwnaed yn amlwg i mi o'r dechrau y disgwylid i mi barhau traddodiad y cwmni yn y maes arbennig yna ond, rhaid i mi ddweud, yr oeddwn wedi gobeithio cael mwy o rybudd nag a gefais.

Er mwyn i mi ymgydnabyddu â Llysoedd Môn, aeth Mr Gordon-Roberts â mi un diwrnod i Lys Caergybi lle'r oedd yn ymddangos mewn nifer o achosion y bu'n eu trafod hefo mi ymlaen llaw. Yr un modd, yr wythnos ddilynol aethom gyda'n gilydd i Lys y Fali. Ganol dydd, dywedodd, 'Maen nhw'n rhannu'r Llys y prynhawn 'ma, ac mae gen i eisiau i chi ofalu am yr amddiffyniad yn yr achos o yrru peryglus.' 'Doedd gen i ddim dewis. 'Rwy'n cofio ffraeo hefo'r Clerc a'r Heddlu ynghylch rhyw gwestiwn o'm heiddo a awgrymai, yn hollol ddi-sail, fod yr heddwas yn gelwyddog ac 'rwy'n cofio'n boenus o glir fod y gŵr a amddiffynnwn wedi'i ddirwyo. Serch hynny, ni welai unrhyw fai arnaf i ac fe'm canmolai am herio'r polîs! Sut bynnag, 'roedd yr ymddangosiad cyntaf hwn yn ddigon i godi archwaeth ac, yng nghyflawnder yr amser, 'roeddwn i'n awchu am fynd i Lys ac wrth fy modd pan gawn gyfle i ymladd achos â thipyn o gig arno. Cofiwch, nid yn sydyn nac yn hawdd y daeth yr hyder. 'Roeddwn yn hen gyfarwydd â siarad o flaen cynulleidfa, ond 'does yna ddim unigrwydd tebyg i sefyll o flaen Mainc

Ynadon neu Reithgor a cheisio delio â ffaith annisgwyl sy'n ddamniol i'ch holl achos. Gwaeth fyth yw cael ateb hollol annisgwyl i gwestiwn. Y rheol aur i gyfreithiwr yn croesholi mewn Llys yw peidio â gofyn cwestiwn os nad yw'n gwybod beth yw'r ateb a roddir. Ceir stori am fargyfreithiwr yn croesholi tyst mewn achos o fwrdwr a'r cyfreithiwr a eisteddai'r tu ôl iddo yn dweud wrtho am ofyn cwestiwn arbennig. 'Ydych chi'n siŵr y ca' i'r ateb iawn?' gofynnodd y bargyfreithiwr. Sicrhawyd ef y byddai'r ateb yr hyn a ddymunai. Gofynnodd y cwestiwn, cafodd yr ateb anghywir, cafwyd y diffynnydd yn euog a dedfrydwyd ef i'w grogi. Trodd y bargyfreithiwr at y cyfreithiwr ac meddai, *'When you meet your client in Hell, you can tell him it was your bloody question that sent him there!'*

Gwaith cyfreithiwr, wrth reswm, yw cyflwyno achos ei gwsmer yn y golau disgleiriaf posibl, a gwneud hynny heb dramgwyddo rheolau'r Llys; hynny yw, sefyll yn esgidiau'r cwsmer fel petai, a mynegi'r ffeithiau fel y dymunai ef wneud hynny. Yn hyn o beth 'roedd Mr Gordon-Roberts bron yn unigryw, o'm profiad i. 'Roedd ganddo ddychymyg tu hwnt i grediniaeth ac yr oedd fel pe bai'n gallu credu ei gwsmer yn llwyr heb ronyn o amheuaeth. 'Roedd beth bynnag a ddywedai ei gwsmer yn ffaith anwadadwy a, rhywsut, oherwydd y dychymyg bywiog, 'roedd yr hyn a wnâi yn ymddangos — yn wir efallai ei fod — yn hollol ddiragrith. Nid oeddwn yn brin o adnabod y natur ddynol pan ddechreuais weithio yn Llangefni ond trwy sgwrs a gweithred fe ddysgais fwy ganddo ef nag a dybiwn yn bosibl.

'Rwy'n bur sicr na fuasai ei ddulliau yn effeithiol erbyn

heddiw ond, ar y pryd, 'roeddynt yn ardderchog. Gwelais ef yn amddiffyn ac yn ennill achosion na theimlwn fod unrhyw obaith wrth eu hymladd. Pan nad oedd gobaith o gwbl ymladd achos gallai ymbil am dosturi mewn modd a gyrhaeddai galon ynadon a rheithwyr Môn; neu ddefnyddio tactegau gwahanol, megis gwneud ei gwsmer yn destun sbort gan wybod o'r gorau y byddai'r ddedfryd yn ysgafnach. Gwelais ef yn gwneud defnydd o'r dacteg hon mewn llys ym Mhorthaethwy pan oedd yn amddiffyn gŵr a gyhuddid gan dair merch wahanol o dadoli plant anghyfreithlon. Nid oedd modd amddiffyn yr un o'r ceisiadau a chododd Mr Gordon-Roberts hefo'r wên gellweirus a ddôi i'w wyneb ar adegau, ac meddai, *'I don't know how he does it, Your Worships. He must have a bicycle or something!'* Yn sicr, 'roedd gwneud i'r ynadon chwerthin yn eu rhoi mewn tymer well i wneud gorchmynion llai.

Gellid llenwi cyfrol gyda hanesion am ei yrfa yn y Llys ac fe'm difyrrodd am oriau gyda'i hanes yn rhyfel De'r Affrig ac ar lwyfannau politicaidd ar ran y Torïaid.

Mae'n debyg mai ychydig erbyn hyn sy'n cofio achos Nettleton, y gŵr o lannau Mersi a laddodd ei wraig a dod â hi mewn cist car i'r Traeth Coch i'w chladdu. Yn anffodus iddo ef, fe'i claddodd mewn rhan o'r traeth lle llifai afon ac, o ganlyniad, daeth y corff i'r wyneb. Pan oedd yr achos o flaen yr ynadon mae'n debyg i Mr Gordon-Roberts groesholi yn hynod o effeithiol ac, o'r herwydd, dedfryd o ladd anghyfreithlon yn hytrach na mwrdwr a gaed pan fu'r achos o flaen y Frawdle. Clywais Farnwr Uchel Lys yn dweud ymhen blynyddoedd wedyn, *'There is a man walking the streets of Liverpool today who*

would have hung by his neck until he was dead had it not
been for Mr Gordon-Roberts' cross-examination.'

Gwyddai am bob ystryw gyfreithiol y gellid ei defnyddio mewn Llys ac 'rwy'n siŵr i mi ddysgu digon ganddo i wneud fy ngyrfa innau yn y Llysoedd yn un a roes foddhad mawr i mi, beth bynnag am bobl eraill.

'Roedd yn seicolegydd tan gamp. Ar ddechrau fy ngyrfa yn y Llysoedd fe'm cynghorodd i bwysleisio wrth bob cwmser mai achos gwan oedd ganddo. 'Os collwch chi, 'fydd o ddim yn gweld bai arnoch chi,' meddai, 'ond os enillwch chi mi fydd ganddo fwy o feddwl ohonoch chi am ennill achos sâl.' Rhybudd pwysig arall a gefais ganddo oedd, 'Gofalwch eich bod yn cael eich talu cyn mynd i'r Llys. Os na wnewch chi hynny 'does gynnoch chi ddim gobaith cael eich pres, yn enwedig os byddwch chi wedi colli; ond hyd yn oed pan fyddwch chi wedi ennill mi ddwedan y basan nhw wedi ennill heboch chi.' Teimlwn mai doeth fuasai cael gwybod faint i'w godi am fy ngwasanaeth. 'Davies,' meddai, 'mae'r rhan fwyaf o dwrneiod Sir Fôn yn codi tair gini am fynd i'r Llys, ond 'rydw i'n codi deg gini.' Wel, wedi'r cwbl 'roedd ganddo brofiad maith ac efallai bod hynny'n cyfiawnhau'r gwahaniaeth. 'Ie,' meddwn i, 'ond faint ddylwn *i* ei godi?' Wedi meddwl am rai eiliadau atebodd, 'Codwch ddeg arnyn nhw. Fel hyn y byddan nhw'n siarad, '"Roedd o'n ddrud ofnadwy ond 'roedd o'n un da".'

Fel y gellid disgwyl yn Sir Fôn 'roedd llawer o waith cyfreithiwr yn ymwneud â hawliau tenantiaid a pherchnogion ffermydd. Byddai achosion aml o berchennog yn ceisio troi tenant allan o fferm er mwyn ei gwerthu neu ei gosod i rywun arall. Yn naturiol, creai hyn ddrwgdeimlad, yn enwedig os ceisiai'r perchennog brofi nad oedd y tenant yn ffermio fel y dylai. Ar un achlysur 'roeddwn yn gwrthwynebu cais o'r fath gan ddadlau mai achos ydoedd o'r cyfoethog yn gormesu'r tlawd. Cyfeiriais at Winllan Naboth gan wneud camgymeriad bwriadol, sef galw'r brenin gormesol yn Pharoh, gan wybod mai 'Pharo Bach' oedd llysenw'r perchennog! Ni allaf gofio a enillais yr achos ai peidio ond gallaf gofio'r chwerthin yn y Llys!

Un arall y dysgais lawer trwy ymddangos o'i flaen oedd Mr Forcer-Evans, Clerc Llysoedd Môn ar y pryd. Yn aml, byddai'n gwneud bywyd cyfreithiwr ieuanc yn uffern, a Duw a'i gwaredai os na chadwai o fewn terfynau'r rheolau wrth gyflwyno'i achos. Rhaid i mi gydnabod bod bedydd tân Mr Forcer-Evans wedi bod yn fendithiol iawn maes o law. Pan awn i Lysoedd dieithr, ymhell o Fôn, sylweddolwn yn ddieithriad fy mod yn gwybod yn well na'r rhelyw sut i gyflwyno achos. Serch hynny, gallaswn fod wedi'i dagu lawer tro!

Yr adeg honno, ym Môn ac Arfon, anaml y byddem yn cael cymorth bargyfreithiwr yn y Llys Chwarter. 'Roedd ymddangos o flaen rheithgor yn brofiad a roddai ddyn 'ar ei fetel' fel petai. Ar ambell achlysur deuwn adref yn bur ddigalon ond, ar y llaw arall, os oedd achos anodd wedi'i ennill teimlwn fod bywyd yn werth ei fyw.

Fel cyfreithwyr, byddai nifer ohonom yn cyfarfod yn gyson yn Llysoedd Môn ac er y byddem yn ymladd â'n gilydd yn y Llys 'roedd brawdoliaeth hyfryd rhwng amryw ohonom. Cefais lawer o hwyl hefo Rolant o Fôn, a oedd wedi gwneud ei erthyglau gyda Gordon-Roberts ac, ar ôl pasio'i arholiadau, wedi cyflawni'r pechod anfaddeuol o agor ei fusnes ei hun yn Llangefni. Deallais yn fuan y disgwylid imi roi mwy nag arfer o egni mewn achos pan fyddai Rolant yn fy erbyn ac fe fyddai Mr Gordon-Roberts yn anhapus iawn pan fyddai Rolant yn fy nhrechu. Gwn fod gennyf i acen Gymraeg lydan iawn ond 'roedd acen Rolant ugeinwaith lletach. Byddwn wrth fy modd yn gwrando arno'n rhyw lafarganu araith Portia o'r *Merchant of Venice* pan weithredai ar ran rhywun nad oedd modd gwneud unrhyw beth amgenach yn ei achos. Clywaf ei lais yn fy nghlustiau yn awr, *'The quality of mercy is not strained . . .'* ac ymlaen i'r diwedd.

Dywedir ei fod ef a Mr Gordon-Roberts yng ngyddfau ei gilydd mewn rhyw achos arbennig ac i Mr Gordon-Roberts droi at y Fainc a dweud mewn llais yn llawn ffieidd-dra, *'I don't know how my friend dares to come before a Court when his knowledge of the law is so abysmally poor,'* a Rolant yn ateb, *'Well, Your Worships know very well who taught me!'*

Cofiaf un achos pan oedd Rolant, am ryw reswm, wedi cael y gwaith o wrthwynebu cais gan gwmni a geisiai gael trwydded i werthu diodydd meddwol yn un o'i siopau. Nid wyf yn cofio ar ran pwy yr oedd Rolant yn ymddangos ond cofiaf fod Cyngor yr Eglwysi Rhyddion hefyd yn gwrthwynebu'r cais ac, o gofio nad oedd Rolant yn un o golofnau'r mudiad dirwestol, nid hollol amherthnasol oedd sylw a glywais gan un o'm cyfeillion, dan ei wynt, fod Peilat a Herod wedi dod yn gyfeillion! Ta waeth am hynny, 'roedd Rolant ar ei uchelfannau yn protestio am y modd yr oedd y cwmni yn ymestyn gwerthiant alcohol i'r gwahanol ganghennau, *'like a huge octopus stretching out its tentacles in all directions.'* Yn anffodus, baglodd ar draws y geiriau, a'r gair *'testicles'* yn hytrach na *'tentacles'* a ddaeth allan. Tybed ai camgymeriad bwriadol ydoedd? 'Doedd neb byth yn hollol siŵr hefo Rolant!

'Roedd yn deall ffordd o feddwl Rheithwyr ac Ynadon Sir Fôn i'r dim a rhaid i mi gyfaddef fy mod o bryd i'w gilydd yn flin iawn o golli achosion yn erbyn Rolant pan wyddwn yn iawn mai fi a ddylai fod wedi cael y dyfarniad. 'Wna i ddim cydnabod bod Rolant yn well cyfreithiwr na fi — 'doedd o ddim! — ond mi rown lawer am ei ddawn gynganeddol.

Cefais y fraint o gael fy nghinio bron yn feunyddiol yng nghwmni cyfreithiwr a ddaeth yn ffrind annwyl imi, y diweddar Gwilym H.S. Roberts, brawd Myfanwy Howell, gyda'i wybodaeth a'i ddiddordeb anghyffredin mewn criced a threnau, ac a gladdwyd mewn mynwent o fewn cyrraedd sŵn yr *Irish Mail*! 'Roedd gan Gwilym allu arbennig a meddwl gwyddonol clir iawn. Yn anffodus, tueddai i weld dwy ochr pob stori ac 'roedd hynny'n rhwystr iddo wrth ymladd achos. Mae'n bosibl i gyfreithiwr fod yn rhy onest mae'n debyg.

Yn Llysoedd Môn y datblygodd cyfeillgarwch rhyngof a Mr Dafydd Cwyfan Hughes, gŵr sydd, yng ngolwg llawer, yn rhy garedig i fod yn dwrnai. 'Does neb a ŵyr faint ei gymwynasau i eraill ac mae ei agwedd ddiymhongar yn cuddio meddwl a gallu cyfreithiol anghyffredin o ddisglair. Gwyddai cyfreithwyr eraill fod perygl ar y gorwel os deuai Dafydd i mewn i'r Llys yn cario llyfrau cyfraith. Cofiaf yn dda, ac 'rwy'n siŵr ei fod ef yn cofio hefyd, iddo wneud cais i daflu achos allan o'r Llys Chwarter ar y sail bod y cyhuddiad wedi ei osod allan yn anghywir. *'I move that this Indictment be quashed, as being void for duplicity,*' meddai Dafydd, er mawr syndod i bawb yn y Llys, a bu bron i'r Cadeirydd gael ffit. Ond Dafydd oedd yn iawn.

'Roedd ei dad, y Parchedig Cwyfan Hughes, Amlwch yn bregethwr nerthol a chymeradwy ryfeddol. Cofiaf fod yn nhŷ Dafydd yn cael cinio gyda'i rieni unwaith ac yn ystod y sgwrs gwnaeth ei dad sylw a oedd yn ddigon arwyddocaol i mi ei gadw mewn cof hyd heddiw. 'Hogia, rydach chi mewn gwaith sy'n rhoi cyfle i chi hyrwyddo'r Deyrnas,' meddai. 'Doeddwn i erioed o'r blaen wedi meddwl am waith cyfreithiwr yn y cyswllt hwnnw ac efallai ei fod yn esbonio llawer ar agwedd Dafydd yn ei fywyd a'i waith.

Priodais â Mary yn niwedd 1950 ac aethom i fyw i hen dŷ wedi ei ail-wneud yn y Waun. 'Roeddem yn priodi ar amser pan oedd priodas leol yn fater digon pwysig i bobl roi fflagiau allan ar hyd y pentref. Yn unol â daliadau dirwestol teulu Glanfa, mewn gwesty heb drwydded y cynhaliwyd y wledd briodasol ac nid oedd diod feddwol ar gyfyl y lle! Yn Bootle y magwyd Mary ond symudodd i Gymru yn ystod y rhyfel pan ddifrodwyd ei chartref yn Lerpwl gan fom. Un o Lŷn oedd ei thad ac urddwyd ef yn 'Ap Lleyn'; 'roedd yn llawer gwell bardd na'i fab yng nghyfraith. Morwr ydoedd ond tra oedd ar fordaith i Dde Amerig fel *1st Mate* ar long hwyliau cafodd ddamwain a ddaeth â'i yrfa i ben. Ar ôl hynny gweithiai mewn swyddfa yn y dociau. Mae'n amlwg fod bywyd Cymreig bywiog yn Lerpwl ar y pryd ac 'roedd yntau yn un o nythaid o feirdd, yn cynnwys Gwilym Deudraeth, Madryn, Gwnus a Phedrog, ac 'roedd ganddo gysylltiad teuluol â Williams Parry. Un o deulu Cwmcloch,

Beddgelert oedd Jane, neu Jennie fel y'i gelwid, mam Mary, ac 'rwy'n cofio pan oedd y ddau ohonom yn dechrau canlyn i Bob Owen Croesor ddod ataf a dweud, 'Brenin annwyl, 'rwyt ti'n canlyn hogan o deulu ofnadwy — mae 'i hachau hi'n mynd yn ôl yn syth i Owain Gwynedd.' Er mai Cymraeg oedd iaith yr aelwyd yn Lerpwl dywed Mary ei bod yn swil iawn o geisio siarad Cymraeg pan ddaeth i fyw i Gymru. Fodd bynnag, erbyn hyn mae ganddi Gymraeg cywirach na fi, ac eithrio ambell dreiglad efallai.

Buasai'n synhwyrol i ni fod wedi symud i Langefni i fyw ond 'roedd fy nhraed yn rhy ddwfn ym mhridd y Waun. Yn y cyfnod hwnnw daeth ffrind o Wolverhampton a fu'n cyd-letya â mi yn Guildford i'm gweld a chynnig teirgwaith mwy o gyflog imi am fynd ato i'w swyddfa yn y fan honno, gydag addewid y byddai'r cyflog ddengwaith yn fwy ymhen blwyddyn. 'Wn i ddim yn iawn a gefais fy nhemtio o ddifri ond cofiaf ymresymu mai'r hyn a olygai fuasai gweithio yn Wolverhampton nes hel digon o arian i ddod yn ôl i'r Waun i fyw. Sut bynnag, arhosais yn Llangefni a mynd yn bartner yn y cwmni. 'Roeddwn yn hapus iawn yn y swyddfa ond, yn anffodus, yr oedd tri ohonom yn bartneriaid ac 'roeddwn innau'n ymwybodol y gallaswn ennill llawer mwy ar fy mhen fy hun nag a wnawn wrth rannu rhwng tri. 'Roedd Miss Sylvia Gordon-Roberts a minnau yn deall ein gilydd yn dda, a'r ddau ohonom yn sylweddoli na fwriadai ei thad ollwng ei afael ar y busnes ac nid oeddwn innau'n hoffi bod mewn sefyllfa lle'r oedd rhaid disgwyl iddo farw cyn y cawn dâl cyfiawn am fy ngwaith; ar wahân i ddim arall 'roeddwn yn ffrindiau mawr hefo fo!

Hysbysebwyd swydd Cyfreithiwr Cynorthwyol yn Swyddfa'r Cyngor Sir yng Nghaernarfon ac, wedi trafod y sefyllfa gyda'r cwmni, penderfynais wneud cais amdani, er bod gennyf amheuaeth a oeddwn yn gwneud yn ddoeth. Efallai mai'r peth a'm poenai'n fwy na dim oedd ofn colli fy nghrefft fel cyfreithiwr. Mr Gwilym T. Jones, a adwaenwn yn dda, oedd Clerc y Cyngor Sir ar y pryd. Fel y crybwyllais, bu Mary yn ysgrifenyddes iddo am flynyddoedd ond bellach 'roedd hi gartref yn gofalu am Sioned, ein merch, a anwyd yn 1954. Gwyddai Mr Jones am fy ngorffennol yn bur dda ac yn ystod fy nghyfweliad gofynnodd beth a dybiwn i oedd y gwahaniaeth rhwng dyletswydd cyfreithiwr yn erlyn a'i ddyletswydd pan fyddai'n amddiffyn. Atebais i'r perwyl mai gwaith erlynydd oedd rhoi'r ffeithiau o flaen y Llys fel gŵr yn tynnu llun gyda chamera, tra medrai amddiffynnydd ddefnyddio dawn artist i gryfhau neu wanio'r lliw yn y llun y ceisiai ei gyfleu. Cynigiwyd y swydd imi ac fe'i derbyniais. Mae'n ddiddorol cofio bod y gŵr arall a gafodd ei gyfweld yr un pryd wedi cysylltu, ar fy awgrym i, â chwmni Gordon-Roberts, ac fe'i penodwyd yno yn fy lle. Rhyfedd a thrist yw cofnodi i Mr Gordon-Roberts farw ymhen ychydig fisoedd wedyn. Tybed beth fuasai fy hanes pe bai modd i mi fod wedi rhagweld hynny?

. . . *ar dy Gyngor*

Cyn i mi ymgymryd â dyletswyddau cyfreithiwr cynorthwyol i'r Cyngor Sir bu farw Mr Gwilym T. Jones yn sydyn, amgylchiad a oedd yn ddychryn ac yn ofid i gylch eang. Fodd bynnag, yn fuan ar ôl i mi ddechrau gweithio yno apwyntiwyd Mr J.E. Owen-Jones yn Glerc. 'Roedd ef yn Ddirprwy Glerc y Cyngor ar y pryd. Yn ei dro, apwyntiwyd Garth Hopkins yn Ddirprwy iddo ac yna 'roeddwn innau'n symud i fod yn Uwch Gyfreithiwr Cynorthwyol. Yn ddiweddarach fe'm gwnaed yn Glerc Cynorthwyol y Cyngor. Cefais gwmni Mr J.E. Owen-Jones a Mr Garth Hopkins tra bûm gyda'r Cyngor Sir ac, er bod swyddi'r ddau yn uwch o ran pwysigrwydd, 'roeddwn yn cael yr un parch ganddynt ac yn cael mynegi fy marn ar faterion y Cyngor yn ddilyffethair. Yn bwysicach, 'roedd y berthynas rhyngom bob amser yn gyfeillgar ac mae ein cyfeillgarwch wedi parhau hyd heddiw.

Pan ddechreuais ar fy ngwaith yn y Cyngor Sir rhannwn ystafell â Mr Inigo Jones a oedd yn awdurdod ar gyfraith prynu a gwerthu tir ac yn ofalus ryfeddol yn ei waith. 'Roedd yn cael ei gydnabod fel gŵr hollol unplyg ac fe fu'n gymorth gwerthfawr i mi wrth geisio cartrefu mewn awyrgylch newydd a chwbl wahanol i'r hyn yr oeddwn wedi arfer ag ef. Yr hyn a sylweddolais gyntaf oedd nad oeddwn yn feistr arnaf fy hun mwyach ac nad oedd fy nghyfrifoldeb personol am yr hyn a wnawn agos cymaint â'r hyn oedd cynt.

Ceid mwy na digon o waith i'w wneud; yn wir, byddai Inigo a minnau'n dod yn ôl gyda'r nos yn aml i geisio clirio'n desgiau. Ar un wedd 'roedd yn braf iawn teimlo bod eraill yn rhannu'r baich a bod digon o bobl yn barod i drafod anawsterau. 'Roedd Inigo'n benderfynol o'm dysgu i gofnodi popeth a wnawn, gan gynnwys fy holl ymwneud ag eraill parthed penderfyniadau ac ati. Ceisiai fy narbwyllo fod yn rhaid imi ofalu na fyddwn yn gorfod ysgwyddo'r bai am gamgymeriadau pobl eraill. 'Roeddym yn bennaf ffrindiau er ei fod flynyddoedd yn hŷn na mi ac fe barhaodd y cyfeillgarwch i'r diwedd, ond methu a wnaeth ei ymdrech i newid fy null o weithio. Os gwelwn ffordd dderbyniol o dorri corneli fe'i cymerwn ac os oedd eisiau barn sydyn, bendant, fe'i rhown, yn hollol groes i'r hyn 'roedd Inigo yn ei ystyried yn sanctaidd.

'Roedd Adran Clerc y Cyngor Sir wedi meddiannu'r ystafelloedd gorau yn adeilad y Cyngor, gyda golygfeydd rhyfeddol dros y Fenai at Fôn ac i gyfeiriad y 'bar' rhwng Belan ac Abermenai. Ar rai cyfnodau o'r flwyddyn go brin fod godidocach machludoedd i'w gweld yn unman yn y byd. O bryd i'w gilydd, byddwn yn dweud fy mod yn fodlon byw ar y cymun o gyflog a gawn oherwydd bod gennyf ystafell yn rhoi golygfa mor fendigedig i mi. Hen garchar y dref oedd yr adeilad ac 'roedd y tŵr crogi yn union o flaen ffenestr fy ystafell. Yn ddiddorol iawn, daeth ymwelydd i'm hystafell un diwrnod gan ddweud iddo fod ynddi flynyddoedd lawer o'm blaen. Emrys Hughes, aelod seneddol Llafur dros dde Swydd Ayr, oedd y gŵr hwn ac fe'i carcharwyd fel gwrthwynebydd cydwybodol yn ystod y rhyfel cyntaf. Ni raid dweud iddo gael croeso twymgalon a theimlwn ias o falchder fy mod yn cael yr anrhydedd o ddefnyddio'i hen gell. Nid honno oedd yr unig gell y bu ynddi ond methodd ag adnabod y llall; dywedai fod cennin Pedr o flaen ffenestr y gell honno ac mai dyna a roddai syniad iddo pa gyfnod o'r flwyddyn ydoedd.

Ymwelydd arall a gofiaf oedd Rupert Davies, yn y cyfnod pan oedd y rhaglen *Maigret* yn anterth ei phoblogrwydd ar y teledu. Ar y pryd 'roeddwn i, fel yntau, yn ysmygu baco *St. Bruno*, a bu'r ddau ohonom yn trafod pa un ai'r *rough cut* neu'r *flake* oedd orau. Ar gais rhai ohonom cydsyniodd i danio'i getyn yn ei ddull arferol ar y rhaglen.

Un o'm dyletswyddau oedd erlyn mewn achosion pan fyddai pobl wedi eu dal heb drwydded ar eu ceir. Achosion syml tu hwnt oedd y rhan fwyaf ohonynt ac 'roedd ymddangos o flaen Llys mewn achosion mor bitw yn groes iawn i'r graen, yn enwedig gan y disgwylid i mi ofyn i'r Llys orchymyn y diffynnydd i dalu 'Ffi Erlynydd'. Cofiaf fod yn y swyddfa un bore yn paratoi i fynd i Fangor i erlyn mewn achosion felly pan ddaeth un o'r clercod ataf a sibrwd, 'Mr Davies, wyddoch chi fod treth eich car chi wedi darfod ers chwe wythnos?'

Pan oeddwn yn erlyn ar ran y Cyngor 'roedd yn rheol, fel y dywedais, fod rhaid gwneud cais am 'Ffi adfocat' ar ôl dyfarniad boddhaol. Anodd iawn oedd perswadio rhai o'r meinciau nad rhywbeth i mi'n bersonol oedd y swm ond rhywbeth tuag at ddigolledu'r Cyngor. Cofiaf fel y byddai Cadeirydd un o'r meinciau yn hoffi gwneud sylwadau i ysgafnu'r awyrgylch, ac fe lwyddai yn aml. Pan godais ar ddiwedd achos a dweud, *'I'm instructed to ask for an advocate's fee, Your Worships,'* yr ateb a gefais oedd,

'And how much do you think you are worth?' 'Doeddwn i ddim digon cyflym i ateb, fel y dylwn, *'More than you will probably grant me.'*

Yng nghyswllt erlyn pobl am fod heb dreth ar gar bûm mewn sefyllfa dipyn yn anodd yn ystod yr ymgyrch i gael disgiau treth Cymraeg. Daeth i sylw'r Pwyllgor a ddeliai ag achosion o yrru heb dreth fod person arbennig yn gwrthod gwneud cais am ddisg am nad oedd ffurflen Gymraeg ar gael a phasiwyd penderfyniad yn awdurdodi ei erlyn ond, ar yr un pryd, pwyswyd ar y Swyddfa Gymreig i ganiatáu gwneud ceisiadau yn Gymraeg. Daeth y papurau i mi. Gan fy mod yn gwasanaethu'r Cyngor fel Clerc Cynorthwyol, ac yn wir fel Cyfreithiwr, fy nyletswydd oedd cymryd y camau angenrheidiol. Anfonais fy llythyr i Gaerdydd ond euthum at Glerc y Cyngor Sir a dweud nad oeddwn yn fodlon erlyn ac nad oeddwn chwaith yn barod i basio'r papurau ymlaen i neb arall wneud y gwaith. Gwyddwn fy mod yn rhoi'r Clerc mewn sefyllfa anodd, a gohiriodd wneud dyfarniad. Ei ddyletswydd, yn sicr, oedd dod â'r mater i sylw'r Pwyllgor Disgyblu, ond wnaeth o ddim. Gohiriwyd a gohiriwyd ac yn y diwedd caed ffurflenni Cymraeg.

Yr adran o'r Cyngor a roddai fwyaf o waith erlyn oedd yr un a ddeliai â phwysau a mesur dan arolygiaeth y diweddar E.T. Edwards. Byddai ef yn ystafell y cyfreithwyr yn aml, aml ac o dro i dro caem lawer o ddadlau ac yn wir ffraeo gydag ef ynglŷn â'r priodoldeb o erlyn mewn rhyw achos neu'i gilydd. Os credem ni nad oedd digon o dystiolaeth i gyfiawnhau erlyn rhaid oedd ceisio ei gael yntau i dderbyn hynny, ac nid oedd yn dasg hawdd. Er ein bod yn ffrindiau calon 'roedd fel mochyn o benderfynol weithiau, a chofiaf ef unwaith yn troi at Garth Hopkins wrth adael yr ystafell ar ôl cael ei wrthod, 'Yli di, dôs o Sanatogen wyt ti isio!' 'Roedd yn Arolygwr heb ei ail ac yn gymeriad llawn afiaith.

Yr achosion mwyaf diddorol o ddigon oedd y rhai yn ymwneud â gwerthu llefrith yn cynnwys dŵr. Erbyn fy amser i 'roedd y rhan fwyaf o lefrith y sir yn cael ei werthu i'r Bwrdd Llaeth, a chan eu bod hwy yn gwneud eu harolygiaeth eu hunain fel y dôi'r llefrith i mewn 'roedd nifer yr achosion diddorol yn lleihau, er gofid i E.T. mi gredaf. Pe digwyddai i ffermwr gael ei ddal yn gwerthu llefrith â dŵr ynddo nid oedd yr achlysur byth yn cael ei anghofio. Cynghorydd yr oedd gennyf feddwl mawr ohono oedd Robert Roberts o Sarn Mellteyrn, a gafodd ddamwain fechan hefo'r car un tro a chael dirwy o £3. 'Roedd mewn pwyllgor o'r Cyngor Sir yn ddiweddarach pan feiddiodd cynghorydd arall ddweud wrtho, gan gyfeirio at y ddamwain, 'Tipyn bach mwy o ddŵr hefo fo y tro nesa te!' Daeth ateb Robert Roberts fel ergyd o wn, 'Wel, os bydda i 'i isio fo, mi wn yn iawn lle i'w gael o.' 'Roedd y cynghorydd arbennig hwnnw wedi cael ei erlyn am fod â dŵr mewn llefrith.

Os oedd nifer yr achosion o werthu dŵr mewn llefrith wedi gostwng, 'roedd gwerthu nwyddau dan bwysau a gwerthu bwydydd heb fod mewn cyflwr priodol yn dal i gadw'r olwyn i droi. Yn wahanol iawn i'r sefyllfa pan oeddwn yn Llangefni yr oedd gan y Cyngor Sir ddigon o arian i fynd â'r mater i apêl os oeddym wedi colli achos ac yn teimlo fod yna bwynt cyfreithiol digon pwysig i gyfiawnhau'r cam. Bûm yn y Llys Apêl amryw o weithiau, ac fe lwyddasom i gael dyfarniadau a fydd, mae'n debyg, o help i rywun yn y dyfodol. Ond, ar eu gorau, neu eu gwaethaf, 'doedd yr achosion yr oeddwn yn ymwneud â hwy ddim yn yr un cae ag achosion Llangefni.

Yn ystod fy nghyfnod yng Nghaernarfon 'roedd prysurdeb mawr yn y maes cynllunio a rhywun neu'i gilydd beunydd yn apelio yn erbyn dyfarniadau'r Cyngor. Ymddangosais ar ran y Cyngor mewn ugeiniau lawer o achosion yn deillio o wrthod caniatâd ar hyd a lled y sir.

Ceisiadau i gael adeiladu tai o'r tu allan i bentrefi a cheisiadau am ganiatâd i feysydd carafanau oedd y mwyafrif ac 'roedd llawer yn ei chael yn anodd deall y rhesymeg y tu ôl i wrthwynebiad y Cyngor ac 'roedd y Cyngor ei hun yn ei chael yn anodd i fod yn hollol gyson yn y modd y trafodid y gwahanol geisiadau.

O bryd i'w gilydd wrth ymladd apêl 'roedd yn rhaid i minnau gadw mewn cof mai'r Cyngor oedd yn talu i mi serch bod gennyf, yn aml, lawer o gydymdeimlad ag achos yr apelydd. Cofiaf y diweddar Mrs Williams-Ellis, a fyddai'n aml iawn yn cynrychioli'r CPRW ac yn cefnogi'r Cyngor Sir, yn dod ataf ar ddiwedd achos ac yn fy llongyfarch ar y modd yr oeddwn wedi ei ymladd. Pan ddywedais wrthi fod gennyf bob cydymdeimlad â'r apelydd gofynnodd i mi â'i llais yn llawn dychryn, 'Ond sut yr oedd modd i chwi ymladd yr apêl ac ymddangos yn gwbl ddiffuant wrth annerch yr Arolygwr mor odidog?' Credaf ei fod cystal cymeradwyaeth ag y gallwn byth ei ddisgwyl fel cyfreithiwr!

Gwnaed cais am gael gorsaf i werthu petrol yn Rhyd-ddu ond, am ryw reswm, 'roedd yn groes i farn y Cyngor ac mewn apêl a ddilynodd y gwrthodiad trefnwyd y byddai Arolygwr Cymraeg yn gwrando'r achos ac, yn wir, yr oedd bron y cyfan o bentrefwyr Rhyd-ddu yn bresennol. Digwyddaf fod yn gwybod soned Syr T.H. Parry-Williams i Lyn y Gadair ac, ar ddiwedd fy mherorasiwn yn cyfeirio at y ddyletswydd i amddiffyn safle unigryw, adroddais y soned gan beri i'r Arolygydd ddweud, 'Da iawn, ardderchog, Mr Davies.' Fodd bynnag, difethwyd y cyfan pan waeddodd Huw Evans Hughes, Drws-y-coed, o'r cefn, 'Rydw i'n nabod T.H. Parry-Williams yn iawn a dwi'n siŵr na fasa ganddo fo ddim byd yn erbyn i ni gael pympiau petrol yn Rhyd-ddu.' Mae arnaf ofn iddo bylu cryn dipyn ar effaith yr adroddiad!

Wedi i mi fynd allan i'r ffordd ar ôl yr apêl fe'm hamgylchynwyd gan bobl Rhyd-ddu a'r cwbl o'u coeau hefo fi — 'Yr hen gena, a rhag cywilydd i chi, a chitha yn un o'r ardal,' ac yn y blaen. Ceisiais esbonio mai siarad dros yr hwn sy'n talu iddo yw swyddogaeth cyfreithiwr, ond ofnaf nad oeddynt eisiau dadl athronyddol ar y pryd.

Cefais brofiad tebyg mewn achos yn Llanystumdwy, achos yn ymwneud â chais i godi *chalets*. Y tro hwn 'roedd gwrthwynebiad lleol i'r cais a chofiaf i Wil Sam a'i briod ddod i gefnogi'r Cyngor Sir ac i Jan Morris wneud datganiad hyfryd mewn Saesneg y rhoddwn lawer am fedru ei efelychu. Y tro hwn hefyd 'roedd Arolygydd Cymraeg. Cynrychiolid yr apelydd gan fargyfreithiwr amlwg iawn, Mr Andrew Rankin, un o'r rhai gorau erioed am groesholi ac, yn wir, un y bûm yn cydweithio ag ef mewn achos blaenorol. Cofiaf iddo dorri ar draws Wil Sam pan ddyfynnodd farddoniaeth Gymraeg, a chymerais y cyfle i hysbysu'r Arolygydd y byddwn innau yn dyfynnu o farddoniaeth R. Williams Parry ar y diwedd. Meddai'r bargyfreithiwr, *'Of course you are entitled to, Mr Davies, provided you will translate for my benefit.'* Am unwaith 'roeddwn yn ddigon sydyn i ateb, *'Certainly, and I am sure my learned friend will reciprocate when he makes his final address.'* Nid yn aml y mae rhywun yn cael y cyfle na'r sydynrwydd i sgorio pwynt fel yna.

Cofiaf i mi fynd i brofedigaeth enbyd un tro yng nghyswllt achos apêl yn erbyn penderfyniad y Cyngor i wrthod caniatâd cynllunio i safle carafanau arbennig. Er bod y prif swyddog cynllunio wedi argymell rhoi caniatâd, nid dyna fu penderfyniad y Cyngor ac 'roedd yr ardalwyr hefyd yn gwrthwynebu'r datblygiad. Cwblhawyd yr achos yn y bore gyda Dirprwy Swyddog Cynllunio'r Sir yn rhoi tystiolaeth, ond 'roedd eisiau mynd i weld y safle yn y prynhawn.

Aeth y swyddog cynllunio a minnau i westy i gael cinio. 'Roedd y lle'n llawn, a'r rhan fwyaf o'r rhai a oedd yno yn perthyn i osgordd yr apelydd. Pan aethom i gael diod dywedwyd wrthym fod un ohonynt wedi talu trosom, rhywbeth oedd wedi'r cwbl yn eithaf naturiol, ac 'roeddwn innau'n rhagweld talu'r gymwynas yn ôl yn ddiweddarach. Ar ôl cinio aethom at y bar i dalu am ein bwyd a chael ein hysbysu fod y cwbl wedi ei dalu ymlaen llaw. Esboniais innau fod hyn yn ein rhoi mewn sefyllfa anodd ond nid oedd modd gwneud dim ynglŷn â'r peth.

Gan fod fy rhan i yn y gweithrediadau wedi dod i ben gwyddwn na allai neb fy nghyhuddo o wneud llai na'm gorau, ond, serch hynny, 'roeddwn yn teimlo'n anghyfforddus ynglŷn â'r holl fusnes. Ymhen rhyw wythnos neu ddwy daeth cyfaill o Gynghorydd ataf a dweud fod yr ardal i gyd yn trafod y ffaith bod cyfreithiwr a swyddog cynllunio'r Cyngor Sir, ynghyd â'r Arolygydd, wedi cael eu diodi a'u bwydo gan yr apelydd ac os llwyddai'r apêl bwriedid mynd â'r mater ymhellach. Gwyddwn fy mod yn hollol ddiniwed; serch hynny, fe boenais lawer hyd nes y daeth canlyniad yr apêl, a ninnau, trwy drugaredd, wedi ennill.

Rhoddid pwysau mawr arnom fel swyddogion i ofalu ein bod uwchlaw amheuaeth mewn materion o'r fath. Un tro, cofiaf swyddog cynllunio yn dod ataf mewn penbleth mawr. 'Roedd ffermwr yn byw heb fod ymhell o'i gartref wedi gwneud cais cynllunio ac wedi crybwyll y peth wrtho mewn sgwrs. Ddau ddiwrnod cyn y Nadolig, pan gyrhaeddodd adref o'i waith, dywedodd ei wraig wrtho fod y twrci a archebwyd ganddo wedi cyrraedd. Nid oedd wedi archebu twrci gan neb, a sylweddolwyd fod anrheg heb ei heisiau wedi cyrraedd. 'Mi gaiff fynd yn ôl y munud yma,' meddai, ond 'roedd yn rhy hwyr: 'roedd ei wraig wedi'i drin ac 'roedd yn barod i'w goginio.

Fe'i helpais i wneud datganiad yn nodi'r ffeithiau i gyd, a rhoddwyd y datganiad hwnnw mewn *safe* a gofalodd y swyddog nad oedd yn cymryd rhan mewn unrhyw drafodaeth ynglŷn â'r cais cynllunio hwnnw!

Hyd heddiw gofidiaf na lwyddais i gyflawni un swydd y gofynnwyd i mi ymgymryd â hi. 'Roedd y diweddar Gwilym T. Jones wedi cychwyn ar ymchwiliadau ynglŷn â ffordd gyhoeddus a arweiniai o Ddinas Dinlle i Belan, a gofynnwyd i minnau barhau'r ymchwiliad gyda'r amcan o'i hailagor at wasanaeth y cyhoedd. 'Roedd 'fferi' ar un adeg o Belan i Abermenai ac nid oes amheuaeth nad oedd hawl ffordd at y lanfa. Er iddi gael ei chau flynyddoedd yn ôl, mae'r Ddeddf yn eithaf clir, *'Once a highway, always a highway,'* hyd nes bod gorchymyn cyfreithiol i'w chau wedi ei wneud. Mae'r ddogfen i gau tir comin yn nechrau'r ganrif ddiwethaf yn sefydlu'r ffordd. Buasai wedi bod yn ymarferiad diddorol i orfodi hawliau'r cyhoedd ond 'roedd materion eraill yn cael blaenoriaeth ac ni ddaeth cyfle i fynd â'r maen i'r wal.

Pan benderfynwyd fy ngwneud yn Glerc Cynorthwyol y Cyngor gwyddwn y byddai gennyf fwy o waith gweinyddol ond gobeithiwn na fyddai hynny ar draul ymwneud ag achosion Llys a Chynllunio ac, yn wir, llwyddais i barhau i ymarfer hynny o ddawn sydd gennyf yn y cyfeiriad hwnnw. 'Roedd Mr Gwilym T. Jones wedi dewis Mr Richard Thomas i fod yn gynorthwywr personol iddo ac fe barhaodd Mr Thomas i wneud y gwaith hyd nes y'i gwnaed yn Brif Gynorthwywr Gweinyddol y Cyngor. Penderfynodd ef a minnau y byddai'n fanteisiol inni gydweithio yn yr un ystafell ac yr oedd y ddau ohonom ynghanol bwrlwm gweithrediadau'r Cyngor. 'Roedd Richard Thomas yn ŵr arbennig iawn. Dywedais lawer gwaith y byddai ef, pe bai'n gyfreithiwr, wedi gallu bod yn Glerc unrhyw Gyngor yn y wlad. Yn deyrngar tu hwnt i'w gyfeillion ac eto'n barod i ddadlau'n ffyrnig â hwy, 'roedd ei farn bob amser yn cael ystyriaeth ddwys ym mhob penderfyniad pwysig.

Ar adegau 'roedd ein gwaith yn golygu bod rhaid mynd i bwyllgora i'r Swyddfa Gymreig yng Nghaerdydd ac yn hytrach nag aros noson yno byddai Richard Thomas a minnau yn cychwyn tua phump y bore. Yr adeg honno 'roedd rhaid mynd trwy ganol pob tref a phentref ar y ffordd a byddaf yn synnu sut y medrem ymdopi â'r siwrneiau, a'u mwynhau hefyd. Un bore hyfryd o wanwyn cofiaf i ni ladd pump o adar ar y ffordd i Gaerdydd. Cofiaf yn well am y gyrru gwyllt ar y ffordd adref er mwyn ceisio cyrraedd Dolgellau cyn deg o'r gloch!

'Roedd y bartneriaeth rhwng y ddau ohonom yn ddelfrydol a chredaf ei bod o fantais i'r Cyngor. 'Roedd Dic Tom, fel y'i gelwid, wedi bod yn ymladd yn Burma, lle'r oedd yn aelod o'r llu a fu ar goll am gyfnod. Ychydig a siaradai am ei brofiadau ond cofiaf iddo ddweud wrthyf unwaith, 'Wyddost ti, Gwynn, mae 'na amgylchiadau mewn rhyfel sy'n gwneud person yn rhywbeth gwahanol i fod dynol ac mae'n anodd credu'r pethau a wnei di yn y cyflwr hwnnw.' Cofiaf ef fel un o'r cyfeillion agosaf a gefais ac mae fy nyled yn fawr iddo ar lawer cyfrif.

Fel Clerc Cynorthwyol y Sir 'roeddwn yn eistedd ym mhwyllgorau'r Cyngor yn aml ac yn adnabod y Cynghorwyr yn dda. Cymysgedd o ddrwg a da oedd yno, gyda rhai ben ac ysgwydd yn uwch na'r gweddill. 'Roedd rhai unigolion heb godi i'r brig oherwydd nad oeddynt yn gallu mynychu is-bwyllgorau yn ddigon cyson. Gwn fod llawer o fargeinio yn digwydd ac 'roedd yn syndod sut y llwyddai ambell gynghorydd i gael ei faen i'r wal. Serch hynny, mae'n hyfrydwch gallu tystio na welais unrhyw awgrym o lwgrwobrwyo tra bûm gyda'r Cyngor.

Diddorol oedd sylwi ar y gwahaniaeth agwedd rhwng cynghorwyr a'i gilydd. 'Roedd rhai â'u bryd ar gyflenwi gwasanaethau ac eraill am warchod y pwrs a'r syndod mwyaf i mi oedd y gwahaniaeth mawr rhwng bywyd preifat rhai unigolion a'u bywyd cyhoeddus. Gallaf gofio rhai a oedd yn haelionus iawn yn eu bywydau o ddydd i ddydd ond yn gwarchod arian y cyhoedd yn y Cyngor i raddau a oedd, ar brydiau, yn afresymol o gybyddlyd. Fel arall yr oedd hi yn hanes rhai cynghorwyr. Yr hyn oedd yn amlwg i mi, fel swyddog, oedd y ffaith nad gallu cynhenid cynghorydd oedd yn bwysig ond yr amser y gallai ei neilltuo i waith y Cyngor, a gwneud ei waith cartref cyn dod i bwyllgor.

Soniais fod nifer o gynghorwyr penigamp yn y sir, ond efallai mai yno hefyd y gwelais yr enghreifftiau gorau o bobl a oedd, gwaetha'r modd, yn rhy hen o'r hanner, a phawb ond hwy eu hunain yn gwybod hynny. Digwyddodd hyn sawl gwaith, ac yn amlach na pheidio 'roedd y cynghorwyr hynny wedi bod yn rhai blaenllaw a'u galluoedd yn uwch na'r rhelyw. Mae'n sefyllfa anodd: nid yw'r cynghorydd ei hun yn sylweddoli ei fod bellach yn aneffeithiol ac ni fynn neb arall ei frifo trwy ddweud wrtho. Dyna un o'r pethau sy'n peri pryder i mi'n bersonol. 'Rwy'n mwynhau bywyd cyhoeddus ac er bod fy nghof yn enbyd o sâl mewn rhai cyfeiriadau 'rwy'n parhau i roi gwasanaeth. Ac eto, efallai mai fi sy'n meddwl hynny ac nad dyna farn pobl eraill.

Ar y llaw arall, cofiaf y Dr William George yn annerch y Cyngor pan oedd yn 101 oed, ac nid anerchiad wedi ei baratoi ymlaen llaw ydoedd oherwydd 'roedd yn cyfeirio at sylwadau a wnaed gan eraill yn ystod y drafodaeth. Clywais ei fab, W.R.P. George, yn siarad lawer gwaith ac o bryd i'w gilydd yn mynd i hwyl, a'r un tinc yn ei lais ag a glywswn yn llais ei ewythr mewn ambell araith yn y pafiliwn ers talwm.

Treuliwn lawer o amser mewn trafodaethau ynglŷn â'r ffordd orau i weithredu penderfyniadau'r Cyngor ac, yn bwysicach efallai, sut y dylid rhoi arweiniad i'r dyfodol. Cofiaf yn iawn fod rhai ohonom, yn cynnwys Mr J.E.

Owen-Jones, y Clerc, a Mr Richard Thomas, wedi penderfynu y dylid adeiladu pont iawn i groesi aber afon Seiont a datblygu safle yn y fan honno ar gyfer adeiladau cyhoeddus i'r Sir a'r dref. Yno hefyd y byddai'r Llysoedd Barn. Pe gellid gwneud hyn, yna gellid ailadeiladu'r tai o fewn waliau'r hen dref gan ddod â bywyd yn ôl i'r lle. Yn anffodus, 'roedd gan y cadwriaethwyr ryw syniad y byddai'r cynllun yn tarfu ar odidowgrwydd yr olygfa a geid o'r castell, ac fe gawsom ein llorio. 'Rwy'n dal i gredu y byddai llawer gwell graen ar dref Caernarfon heddiw pe byddem wedi cael y maen i'r wal. Ond dyna fo, 'leiciais i 'rioed mo'r castell!

Dyletswydd a ddisgynnai ar Glerc y Cyngor Sir oedd gweithredu fel Clerc yr Heddwch. Golygai hyn mai'r Cyngor Sir oedd yn gyfrifol am drefniadau'r Llys Chwarter ac fe gefais innau'r swydd o Glerc Cynorthwyol yr Heddwch. Clerc yr Heddwch oedd yn gyfrifol am gynghori'r Fainc yn y Llys Chwarter ar faterion cyfraith ac yr oedd braidd yn chwithig trafod gydag arbenigwyr fel yr Arglwydd Morris a Syr David Hughes Parry ond yn brofiad diddorol.

Tra'n gweithio yn y Cyngor Sir y perswadiwyd fi i ddechrau chwarae golff. Bu pwyso arnaf i wneud hynny flynyddoedd lawer ynghynt gan rywun a deimlai y dylwn gyfarfod 'the right people'. Tynghedais yr amser hwnnw na welid byth glwb golff yn fy llaw os mai rhyw gêm felly oedd hi. Fodd bynnag, fe'm sicrhawyd fod y werin bellach yn gwneud *take-over bid* ac y dylwn roi cynnig arni. Fe driais, ac 'rwyf wedi trio byth ers hynny a heb fod fawr nes i'r lan — neu'r twll. Nid ymdrechais mor galed am gyhyd o amser gan gyflawni cyn lleied mewn unrhyw faes.

Ond, ac mae'n ond mawr, ymhen blynyddoedd wedyn pan nad oedd rhaid bod â'm trwyn ar y maen bob awr o'r dydd rhoddodd y golff gyfle i mi gael cwmni Dr Alwyn Miles, y seicolegydd annwyl gyda'i farn gytbwys ar ddynoliaeth. Dyna fraint na allaf byth ei mesur a dyna hefyd dystiolaeth y rhai a gafodd yr un fraint.

Anaml iawn erbyn hyn y byddaf yn ymweld â Swyddfa Cyngor Sir Gwynedd ac nid oes yno bellach ond rhyw ddyrnaid o'r rhai a fu'n cydweithio â mi. Rhyfeddaf wrth gofio'r amser pan oeddwn yn adnabod bron pob aelod o'r staff a'r cynghorwyr wrth eu henwau. Mwynheais lawer ar y gwaith a'r gwmnïaeth ac, mewn cyswllt arall, bu hwn y cyfnod mwyaf tyngedfennol yn fy hanes.

. . . fel na'ch barner

Ym myd llywodraeth leol mae'n deg dweud bod ad-drefnu newydd ddigwydd, yn digwydd, neu'n debyg o ddigwydd ar unrhyw gyfnod trwy'r blynyddoedd a thra bûm gyda'r Cyngor Sir yng Nghaernarfon 'roedd ad-drefnu ar y gorwel trwy gydol yr amser. Fodd bynnag, erbyn 1970 yr oedd yn amlwg fod newid i fod a phan wnaed penderfyniad i uno hen siroedd Caernarfon, Môn a Meirion 'roedd yn rhaid i mi ystyried fy nyfodol o ddifri.

Fel y dywedais, bûm yn hapus iawn yn y Cyngor Sir, a chyda threigl amser nid oeddwn yn ymwybodol o unrhyw wahaniaeth rhwng gweithio i'r Cyngor a bod yn feistr arnaf fy hun. Eto i gyd, 'roedd rhyw anniddigrwydd ynof ers tro; hiraeth efallai am fywyd â mwy o fenter ynddo. O bryd i'w gilydd bûm yn gwneud ymholiadau ynglŷn â'r posibilrwydd o ddychwelyd i weithio mewn swyddfa fel o'r blaen ond nid euthum ddim pellach na hynny. Fodd bynnag, pan ddaeth yn sicr fod ad-drefnu yn dod credwn y gallwn fod yn wynebu ar ddyfodol anniddorol tu hwnt. Wedi'r cwbl, yr oedd Clercod a Dirprwy-Glercod Siroedd Caernarfon, Môn a Meirion-nydd mewn safleoedd gwell na mi i gael y swyddi bras. Yng Nghaernarfon, er nad oeddwn ond Clerc Cynorthwyol, 'roeddwn yn cario cryn bwysau ac 'roeddwn yn cyfrif yng ngweinyddiad y Cyngor Sir. Pwy a wyddai beth fuasai fy hanes dan y drefn newydd? Yn sicr, byddai fy nhâl a'm pensiwn yn saff, ac yn uwch hefyd, ond yr oedd arnaf eisiau mwy na hynny allan o'm bywyd.

Yn nechrau 1972 ymddeolodd Mr E. Lloyd-Jones fel Clerc Ynadon Bangor, Conwy/Llandudno a Betws-y-coed a gwelais fy nghyfle i fynd yn ôl i'r Llysoedd. Gofynnais am y swydd ac fe'i cefais. 'Roedd llawer yn amau fy noethineb yn newid cwrs yn gymharol hwyr yn fy ngyrfa a cheisiodd amryw fy mherswadio i aros yn fy rhych gan ddweud y byddwn yn sicr o gael swydd uchel yn yr awdurdod newydd yng Ngwynedd, ond tynfa'r Llysoedd a orfu. Teg yw cydnabod er hynny mai yn bur betrusgar yr eisteddais yng nghadair y Clerc yn Llys Llandudno am y tro cyntaf. 'Roeddwn yn ymwybodol iawn fod pawb yn gwybod nad oeddwn wedi bod yn ymarfer o ddifri yn y Llysoedd ers blynyddoedd. Yr oedd arnaf ofn gwirioneddol y gallai pwynt o gyfraith godi a minnau yn methu ag ymdopi. Ni ddigwyddodd hynny, ac yn fuan iawn daeth yn amlwg fod yr Ynadon a minnau yn deall ein gilydd.

'Roedd y cyn-Glerc, Mr E. Lloyd-Jones, nid yn unig yn wybodus a dawnus yn ei swydd ond yn 'gymeriad' hefyd ac yn llwyddo i newid awyrgylch y Llys yn ôl y galw. Clywais amryw o straeon am ei ffraethineb, megis y tro hwnnw y dirwywyd person arbennig a Mr Lloyd-Jones yn troi ato gan gofyn a oedd eisiau amser i dalu. Mae'n amlwg nad oedd ac fe estynnwyd swm y ddirwy mewn papurau punt glân i'r Clerc. 'Brenin bach, brysiwch yma eto!' oedd yr ebwch a glywyd ar draws y bwrdd.

Dywedir fod gŵr tra chrefyddol o flaen y Llys unwaith a Mr Lloyd-Jones mewn byd yn ei gael i gydymffurfio â'r rheolau. *I think you'd better have the assistance of a Solicitor,* meddai'r Clerc a chael yr ateb, *'I don't need a Solicitor, Jesus Christ will be my advocate.'* Ac meddai Mr

Lloyd-Jones fel ergyd o wn, *'Of course, that's all right, I only thought you might want somebody local!'*

Gwaith anodd yw ysgafnhau awyrgylch y Llys heb achosi poen gan fod cymaint yn bresennol a beichiau trymion yn gorffwys arnynt ond rhaid gwneud ymdrech ar brydiau. Rhaid cofnodi hefyd y ceir rhai achosion sydd cystal ag unrhyw gomedi ar lwyfan. Cofiaf gael fy ngalw i Landudno ar brynhawn Sadwrn i Lys arbennig i drin achos Gwyddel a gyhuddid o ddwyn esgidiau. 'Roedd yn pledio'n ddieuog, a chan nad oedd ganddo gyfreithiwr 'roeddwn i, fel Clerc y Llys, yn ceisio gofalu ei fod yn cael chwarae teg. Nid oedd neb wedi ei weld yn dwyn ond daliwyd ef yn rhedeg ar hyd Stryd Mostyn yn gwisgo dwy esgid newydd a'r ddwy yn esgidiau troed dde. Mae'n siŵr y gŵyr y darllenwr am y modd y mae siopau esgidiau Llandudno yn arddangos eu nwyddau, ac arwyddocâd y ffaith fod y ddwy esgid yn ffitio'r un droed. *'Look here,'* meddwn wrth y gŵr, *'you have pleaded "Not Guilty", and I'm sure their Worships would like to know how it is that the two shoes you were wearing were right footed shoes.'* Edrychodd arnaf am eiliad, *'Please, Your Honour,'* meddai (ac 'roedd y cyfarchiad yn ennill marciau iddo!), *'I bought them from a shop in Dublin.'* Bychan iawn fu'r gosb.

'Doedd y ffordd y gweithredai'r Llys ddim bob amser yn unol â'r hyn y buasai'r Arglwydd Ganghellor yn ei ddymuno 'rwy'n siŵr. Yn Llandudno bob haf byddai hogiau o Iwerddon yn gwasanaethu yn y gwestai a phan fyddent yn troseddu 'doedd ganddynt ddim arian i dalu dirwy nac unman i fynd iddo ar ôl bod o flaen y Llys, gan na fyddai croeso iddynt yn y gwesty wedyn. Yn hytrach na rhoi pwysau ar y wlad 'roedd gennyf gynllun a weithiai'n rhyfeddol o dda. Ar ôl i'r Ynadon adael yr ystafell i ystyried eu dedfryd fe gawn sgwrs fach gyfeillgar hefo'r troseddwr ac, ar ôl ei argyhoeddi ei fod yn sicr o fynd i garchar, fe awgrymwn iddo y gallai pethau fod yn wahanol pe bai'n dweud fod arno eisiau mynd yn ôl i Iwerddon ar unwaith a gofyn am gael aros yng ngwarchodaeth yr Heddlu neu'r Swyddog Prawf hyd nes y byddai ar y llong yng Nghaergybi. Gwyddai'r Ynadon beth oedd yn mynd ymlaen a gwyddent hefyd y byddai eu dedfryd, os braidd yn groes i'r rheolau, y ffordd orau i bawb allan o'r anhawster.

'Rwyf eisoes wedi crybwyll nad yw'n hawdd ysgafnhau awyrgylch Llys ond ceisiwn o bryd i'w gilydd wneud hynny pan nad oedd yr achos yn un difrifol iawn. Gwn fod llawer yn dal i gofio am yr hyn a ddigwyddodd ym Mangor rhyw dro pan benderfynais roi tyst ar lw yn y ffordd draddodiadol Sieineaidd. Cadw lle bwyta yr oedd y gŵr ac fe'i galwyd yn dyst ar ôl i rywun redeg allan o'r tŷ bwyta heb dalu. Cyn yr achos euthum i swyddfa'r heddlu ger y Llys a gofyn am soser. Rhag ofn na wyddoch, mae'r llw Sieineaidd yn golygu cymryd soser yn y llaw dde, ei malu yn erbyn ochr y tystle a dweud, 'Fel y malwyd y soser, felly y malurir fy enaid innau oni ddywedaf y gwir, yr holl wir, a'r gwir yn unig.' Gelwais ar y gŵr bonheddig i fynd i'r tystle ac estynnais y soser iddo. Edrychodd arnaf mewn syndod, a phan ddywedais wrtho am ei malu 'roedd yn amlwg ei fod yn credu fy mod wedi mynd o'm cof. Trawodd y soser yn ysgafn ar ochr y tystle ac wedyn yn gadarnach ar ôl i mi bwysleisio bod yn rhaid ei thorri — ond 'wnâi hi ddim. Yna daeth y *Court usher*, Mr Huw Jones o Fethesda, ataf a dweud,

'Mi a' i â hi allan i'r cefn i'w thorri hefo morthwyl, Mr Davies.' 'Cerwch o'ma,' meddwn innau, ac er mawr ddifyrrwch i bawb yn y Llys, gafaelais yn y soser fy hunan a'i dyrnu hyd nes, o'r diwedd, y bu'n rhaid iddi ildio, a darn ohoni'n trawo'r Cadeirydd. Soser *melamine* ydoedd! Byddwn bob amser yn gofalu bod y llw yn cael ei gymryd mewn tawelwch gweddus ond y tro hwnnw yr oedd ymhell o fod felly. 'Roedd diwedd y stori yn ddigon diddorol hefyd. Pan ofynnwyd i'r tyst ddangos i'r Llys pwy oedd y dyn a redodd allan o'i dŷ bwyta heb dalu pwyntiodd yn syth at y Swyddog Profianaeth!

Bu sawl achos o fwrdwr o flaen y Llys hefyd ond credaf mai'r achos a ddangosai ddyn ar ei waethaf oedd achos yn Llanrwst pan agorwyd wyneb a llaw dynes hefo *Stanley knife* gan ddyn a gawsai ei dalu am wneud hynny gan gyngariad y wraig. Sut mae modd maddau mewn amgylchiad fel yna?

Nid oedd gohebydd papur newydd yn y Llys ym Mangor pan glywais un o'r hanesion rhyfeddaf gan garcharor a oedd wedi dwyn car o Fangor ac wedi cael ei ddal ymhen rhyw ddeg diwrnod. Yn y cyfamser yr oedd wedi defnyddio'r car i drafaelio i garchar arbennig, carchar agored mae'n wir, ond carchar er hynny. Fe adawodd y car ym maes parcio'r carchar a mynd i mewn am noson o gwsg a brecwast yn y bore ar ddau achlysur.

Lleoedd rhyfedd yw rhai o'r carchardai agored. Bûm yn siarad â nifer o garcharorion mewn lleoedd o'r fath, a'u cwyn mawr oedd eu bod yn gwastraffu amser y gallasent ei ddefnyddio i wneud arian. Twyllwyr oedd y rhan fwyaf, rhai ohonynt wedi bod yn delio mewn miliynau.

Mae swydd Clerc yr Ynadon yn ei roi mewn sefyllfaoedd rhyfedd weithiau. Ymddangosodd gwraig o flaen Llys Llanrwst wedi ei chyhuddo o ymosod yn anweddus ar nifer o fechgyn ieuanc yr ardal — bechgyn yn eu harddegau cynnar. 'Roedd y wraig wedi eu cymell i ddod i'w chartref a chael cysylltiad rhywiol â hi. Yn groes i'r arfer, gofynnodd cyfreithiwr y wraig am i'r dystiolaeth gael ei rhoi yn Llys yr Ynadon yn hytrach nag anfon y papurau yn syth i Lys y Goron. Ei obaith oedd na fyddai'r bechgyn yn fodlon tystio, ond fel arall y bu. Rhoesant eu tystiolaeth yn llawn, heb flewyn ar dafod, er mawr loes a dychryn i rieni rhai ohonynt. Yr aflwydd oedd, o'm safbwynt i, fod yn rhaid i mi gymryd y dystiolaeth mewn ysgrifen a'i darllen yn uchel yn y Llys er mwyn rhoi cyfle i'r tyst newid unrhyw beth nad oedd yn cytuno â'i gywirdeb. Nid anghofiaf fyth orfod darllen,

Cwestiwn: *'Did she say anything to you?'*

Ateb: *'Yes.'*

Cwestiwn: *'What did she say?'*

Ateb: *'You take great care of that — it's a beaut.'*

'Roedd cadw wyneb cymharol syth yn goblyn o anodd.

Poendod llwyr i mi ac i sawl ynad hefyd oedd delio ag achosion yn ymwneud ag ymgyrchoedd Cymdeithas yr Iaith ac achosion eraill cyffelyb gan rai a geisiai chwarae teg i'r Gymraeg. Yn y cyswllt hwn, efallai bod y rhai ohonom a oedd â chydymdeimlad â'r ymgyrchoedd wedi gwneud mwy o ddrwg nag o les trwy geisio, ymhob ffordd, osgoi carcharu'r rhai a ddeuai o flaen y Llys. 'Roedd y tân yn llosgi'n gryf y dyddiau hynny ond fe'i diffoddwyd wrth i ni rwystro chwyddo nifer y merthyron. Credaf fod agwedd y Gymdeithas a'i haelodau hefyd wedi gwanhau'r achos: yn lle gofyn i'r Llysoedd ddangos cydymdeimlad trwy roi dedfryd ysgafn 'rwy'n siŵr y buasai wedi bod yn well cymryd agwedd a ffordd Gandhi, sef cydnabod torri cyfraith a dweud wrth y Meinciau mai eu dyletswydd oedd cosbi. Ond hawdd iawn yw i mi siarad fel yna.

'Roeddwn yn gyfeillgar iawn â Mrs Dilys Thomas, Ynad o Lanrwst, a ymddiswyddodd oherwydd ei hanallu i ddelio ag achosion o Gymry'n torri deddf ar dir cydwybod. Serch hynny, achosion o flaen Mainc Bangor pan roddwyd rhyddhad diamod i rai a wrthododd dalu am drwydded teledu a gafodd y sylw mawr. Daeth yr achos hwn gerbron yn fuan ar ôl i mi ddechrau ar fy ngwaith fel Clerc ond, yn ffodus anghyffredin i mi, ni alwyd arnaf i ystafell yr Ynadon pan oeddynt yn ystyried yr achos. Teimlai rhai pobl ei bod yn ddyletswydd arnynt dynnu sylw'r Arglwydd Ganghellor at yr hyn a ddigwyddodd, a bod y Cadeirydd, Mr O.G. Williams, wedi gwneud datganiad canmoliaethus o safbwynt y diffynyddion. Ni fu erioed y fath stŵr, ac am gyfnod 'roedd arnaf ofn gwirioneddol y byddai Mainc Bangor yn cael ei hamddifadu o hanner ei haelodau. Gorfu i'r Cadeirydd a minnau deithio i Lundain i ymddangos yn y cysegr sancteiddiolaf yn Nhŷ'r Arglwyddi o flaen yr Arglwydd Hailsham. Efallai na ddylwn ddweud hynny, ond fe'i cefais ef yn ŵr na fedrwn byth ei hoffi. Trwy lwc yr oedd camgymeriad cyfreithiol mewn llythyr a dderbyniais o'i swyddfa ac 'rwy'n dal i gredu mai ambell gyfeiriad at hwnnw fu'n gyfrifol am dawelu'r storm.

'Roedd Mr O.G. Williams yn cael ei gydnabod fel Cadeirydd anghyffredin o effeithiol ac 'roedd aelodau eraill y Fainc ym Mangor, fel, yn wir, aelodau'r holl

Feinciau o dan fy ngofal, yn gwneud fy ngwaith fel Clerc yn bleserus iawn. Syndod i mi oedd parodrwydd pobl alluog, brysur i roi o'u hamser i gyflawni gorchwyl mor ddiddiolch ac, yn aml, yn gorfod cosbi troseddwyr mewn modd a achosai ofid iddynt eu hunain, ond eto yn benderfynol o wneud eu dyletswydd.

Cefais gyfnod diddorol anghyffredin yn Llandudno pan oedd Mr O.M. Roberts yn Gadeirydd y Fainc. 'Roeddym yn adnabod ein gilydd yn dda ac yn cael seiadau diddorol iawn ganol dydd yn 'Sumners'. Yr adeg honno yr oedd O.M. yn flaenllaw iawn yn y Cyngor Sir ac yn gwybod bod Cadeiriau'r Pwyllgor Addysg a'r Cyngor yn disgwyl amdano. Credaf mai ei gred y gallai hybu Cymreictod oedd y rheswm nad oedd, ar y pryd, yn fodlon datgelu mai ef oedd yn partneru Mr Saunders Lewis pan losgwyd yr Ysgol Fomio. Buasai wedi bod yn andros o hwyl i Gadeirydd parchus Mainc yr Ynadon wneud y cyfaddefiad! Trwy'r blynyddoedd mae O.M. wedi rhoi gwasanaeth amhrisiadwy i Gymru gan ymarfer gallu gwleidyddol praff i gael y gorau iddi ymhob amgylchiad.

Yr hyn a wnâi fywyd yn ddiddorol tu hwnt oedd y gwahaniaeth rhwng gweinyddiad cyfraith yn y tri Llys dan fy ngofal, a hynny yn adlewyrchu'r gwahaniaethau sylfaenol rhwng y gwahanol gymunedau. Yn bersonol 'rwy'n gofidio am y canoli a fu yn y maes hwn, fel ym mhob maes arall am wn i.

Pan benodwyd fi'n Glerc yr Ynadon 'roedd dau Lys Ynadon yn eistedd yn eu tro yn Llanrwst, Uwchaled a Betws-y-coed, gyda saith Ynad yr un ar y ddwy Fainc. Pan unwyd y ddau ranbarth Ynadol 'roedd yn ofynnol dewis un Cadeirydd a chefais y profiad diddorol o gyfri'r pleidleisiau am y swydd. Dair gwaith yn olynol cafodd y ddau gyn-gadeirydd, Mr J. Berry a'r Capten Priddle-Higson, saith pleidlais yr un a bu rhaid gwneud y dewis wrth dynnu byrra'i docyn. Dyna yw'r rheol dan y Ddeddf. Bûm yn cydweithio â'r ddau am gyfnodau. Efallai y dylwn nodi bod Capten Priddle-Higson a minnau, er mor wahanol oedd llawer o'n syniadau, yn deall ein gilydd yn rhyfeddol o dda a phan ymneilltuodd oddi ar y Fainc yr anrheg a fynnai gan yr Ynadon oedd llun o Bont Llanrwst wedi ei baentio gennyf i!

Byddwn yn gweithio bob oriau o'r dydd a'r nos ac yn parhau'r hen draddodiad fod Clerc yr Ynadon yn bersonol yn bresennol ym mhob Llys — rhywbeth sy'n amhosibl, wrth gwrs, erbyn heddiw. Gofynnwyd i mi fod yn Swyddog Hyfforddi Ynadon Gwynedd a hefyd yn Glerc Pwyllgor Ymgynghorol yr Arglwydd Ganghellor yn Sir Gaernarfon. Yng nghyswllt y swydd gyntaf deuthum i adnabod pob Ynad yn y sir a threulio amser yng nghwmni llawer ohonynt wrth fynd yn ôl ac ymlaen i ymweld â charchardai ac ar gyrsiau addysgol. Dyna sut y deuthum i gysylltiad â Merfyn Turner, y rhyfeddod prin hwnnw a sefydlodd wasanaeth i roi cymorth a chyfeillgarwch i rai yn dod o garchar, ac a dreuliodd y rhan fwyaf o'i amser, ymhell ar ôl oed ymddeol, yng nghelloedd Pentonville yn ceisio dod â rhywfaint o oleuni i fywydau rhai heb obaith o gwbl ganddynt. Gŵr a gyffesai iddo obeithio ar un cyfnod y gallai achub pobl rhag ailsyrthio i drafferthion ond a ddaeth i sylweddoli ei bod yn bwysicach parhau i roi cyfeillgarwch iddynt, sut bynnag y maent yn adweithio. Y sant gyda synnwyr digrifwch a fydd byw byth.

Cofnodi yn unig wnaf y ddyled fawr sydd gennym fel cenedl i wŷr megis y Barnwr Mars Jones a'r Barnwr Dewi Watkin Powell am eu hymdrechion glew i geisio sefydlu'r Gymraeg yn iaith dderbyniol yn y Llysoedd ac i hybu Ynadon a Barnwyr eraill i ddysgu gweinyddu'r gyfraith yn Gymraeg. Yr anhawster mawr sy'n parhau o hyd yw'r gred ymhlith y rhai a elwir gerbron Llys eu bod yn eu gwneud eu hunain yn niwsans wrth siarad Cymraeg. Lawer gwaith bûm yn ceisio rhoi tystion ar eu llw yn Gymraeg ac yn cael yr ymateb, *'No, it's quite all right, I can speak English.'* Yn bersonol, 'rwy'n siŵr y bydd rhaid cael blynyddoedd o anfon gwysion allan yn ddwyieithog cyn y byddwn yn derbyn y Gymraeg fel iaith gyfartal yn y Llys. Mae'r drefn sy'n golygu bod yn rhaid gofyn am wŷs Gymraeg nid yn unig yn tanlinellu ein safle israddol fel Cymry ond y mae hefyd yn tanlinellu'r ffaith mai Saesneg yw'r iaith y dymuna'r Llys ei defnyddio.

'Roedd bod yn glerc y pwyllgor a oedd yn ethol Ynadon yn waith difyr tu hwnt. Yr adeg honno cedwid enwau'r aelodau yn gyfrinachol ac 'roedd gweithrediadau'r pwyllgor yn digwydd y tu ôl i len trwchus. Yn fy marn i 'roedd pob ymdrech yn cael ei gwneud i ddewis yn ddoeth ac yn deg gan ystyried popeth o bwys. Ceisiwyd sicrhau bod pob Ynad ar y Meinciau yn yr ardaloedd Cymreig yn gallu siarad Cymraeg. Syndod i mi oedd deall i'r diweddar Syr Michael Duff ymddiswyddo fel Ynad oherwydd y credai nad oedd yn briodol iddo weithredu yng Nghaernarfon, lle, yn ei farn ef, y dylai pob Ynad fod yn siarad Cymraeg. Pwy fuasai'n meddwl?

Soniais ynghynt am Mr Richard Thomas. Erbyn hyn yr oedd wedi ymddeol o'i swydd gyda'r Cyngor Sir ond deuai ataf i'm swyddfeydd ym Mangor a Llandudno yn ôl yr angen i ddelio gyda gwaith gweinyddol y Pwyllgor Ymgynghorol. 'Roedd yn hyfryd cael un o'r un anian â mi fy hun, ac yn Gymro i'r carn, i fod yn ymwneud â maes lle'r oedd yr iaith mor bwysig.

'Waeth i mi gydnabod na pheidio, 'roeddwn wrth fy modd hefo gwaith Clerc yr Ynadon. Efallai bod a wnelo hynny â'r ffaith fy mod, fel actor, yn mwynhau bod ar ganol y llwyfan ar hyd yr adeg ond 'roeddwn hefyd yn cyfarfod â nifer fawr o bobl o bob haen o gymdeithas ac yn cael cyfeillgarwch mawr. 'Roedd gennyf ffrindiau ymysg y plismyn, y cyfreithwyr, yr ynadon a'r troseddwyr. Cofiaf fynd i garchar Walton unwaith ac, ar un o'r coridorau, digwydd cyfarfod dau o Fangor y gwnaethwn warant i'w carcharu ychydig wythnosau ynghynt. Sôn am groeso! 'Roeddynt wrth eu boddau yn fy nghyfarfod a chefais innau gyfle i ddweud wrth eu teuluoedd fy mod wedi eu gweld.

Yn fy marn i, mae carchardai'r wlad yn warth ar wareiddiad. Os oes rhaid carcharu person, ac 'rwy'n ofni bod mewn rhai amgylchiadau, yna fe ddylid ei drin fel bod dynol. Fel y mae pethau ar hyn o bryd mae pob un sy'n mynd i garchar yn cael ei wthio ymhellach oddi wrth unrhyw obaith o gael ei adfer i gymdeithas.

Pan fyddwn yn darlithio i Ynadon fe'i teimlwn yn ddyletswydd arnaf ddweud wrthynt mai eu swyddogaeth oedd cosbi ar ran y gymuned. 'Roedd pob Ynad, bron yn ddieithriad, wedi ymgymryd â'r swydd gan gredu ei fod yn cael cyfle i wella cymdeithas ac i roi unigolion a oedd wedi tramgwyddo mewn sefyllfa i adennill eu lle fel dinasyddion cywir.

Er fy mod yn gallu gweithredu'r ddeddf a chynghori yn ôl gofynion y ddeddf credaf mai mater o wyddor ydoedd i mi ac nad oedd gennyf, ar unrhyw adeg, ffydd yn y system gyfreithiol. Ni chredaf fod cosb, nac ofn cosb, yn rhwystro torcyfraith. Yn wir, erbyn hyn 'rwy'n argyhoeddedig pe gwneid i ffwrdd â'r heddlu, y cyfreithwyr a'r holl gyfraith a threfn bondigrybwyll, fe fyddai rhai pobl yn parhau i ladd ac i ddwyn ac i ymosod, ond dim gronyn mwy nag a wneir ar hyn o bryd. Yr hyn sy'n ei gwneud yn amhosibl dilyn y llwybr yna yw bod yr ysfa i ddial mor gryf ynom fel y byddai pobl yn cymryd y ddeddf i'w dwylo eu hunain. Dyna pam y dywedais wrth Ynadon lawer gwaith, 'Peidiwch â meddwl fod dim a wnewch yn mynd i rwystro torcyfraith ond mae eich swyddogaeth yn bwysig am mai y chwi yw'r *bulwark against lynch law.*'

Yng nghyswllt llawer achos o dorcyfraith efallai bod fy agwedd yn rhy bragmataidd o lawer. 'Wn i ddim, ond 'fyddai hi ddim yn ddrwg i mi roi enghraifft o'r modd y teimlaf. Cofiaf yr amser pan oedd achosion yn ymwneud â chyffuriau yn dechrau dod o flaen y Llysoedd a'r rhan fwyaf ohonynt yn ymwneud ag ysmygu cannabis. Ni allwn yn fy myw weld ei fod ddim gwaeth nag yfed alcohol, a'm teimlad ar y pryd oedd y dylid cyfreithloni'r arfer, a defnyddio adnoddau'r heddlu i rwystro pobl rhag defnyddio cyffuriau caled.

Erbyn heddiw mae llawer iawn o dorcyfraith mwyaf ysgeler y wlad ynghlwm wrth y farchnad gyffuriau ac mae'n amlwg i bawb rhesymol fod y frwydr i rwystro pobl rhag eu cael a'u defnyddio, os ydynt yn benderfynol o wneud hynny, wedi ei cholli. Yn fy marn i, gwell yn awr fyddai cydnabod hynny a chyfreithloni'r cwbl o'r cyffuriau a rhoi hawl i feddygon eu rhannu. O leiaf byddai hynny'n gwneud i ffwrdd â'r holl ddwyn, bwrglera, ymosod a lladd sydd ynghlwm wrth y farchnad erchyll hon. Wrth reswm, dylid gwneud popeth, ac rwy'n golygu popeth, i ddysgu pobl am ynfydrwydd yr arfer a'r peryglon o gymryd cyffuriau.

Ni welaf unrhyw ffordd arall i ymdopi â sefyllfa echrydus sydd yn gwaethygu beunydd ac, yn gam neu'n gymwys, credaf fod yr hyn a awgrymaf yn ffordd i rwystro datblygiad troseddol tebyg i'r hyn a ddiwyddodd yn yr Amerig adeg y *prohibition*.

Mae gwarchod yn llawer pwysicach na chosbi. Mae'r un sydd â'i fryd ar gyflawni anfadwaith yn poeni mwy am y posibilrwydd o gael ei ddal nag am faint y gosb os caiff ei ddal.

Beth bynnag am fy nghredo personol 'roedd y gwaith wrth fodd fy nghalon a buaswn wedi bod yn berffaith hapus yn parhau tan fy mhen-blwydd yn 70 — yr oedran arferol i Glerc Ynadon ymddeol — ond daeth cyfle i newid gwaith. Pan oeddwn yn gadael y Llysoedd 'roedd pawb yn dweud pethau anghyffredin o ganmoliaethus, ond y deyrnged orau a gefais oedd un gan berson a fu o flaen y Meinciau sawl gwaith ac a oedd yn wir yn y carchar ar y pryd. Nid oeddwn yn hoff ohono ar lawer cyfri ond daeth ataf a dweud, *'I hear you are leaving, Mr Davies. I'm sorry, you were always very fair with me.'* Os cafodd hwnnw chwarae teg, yna mae lle i obeithio na chafodd neb arall unrhyw gam bwriadol beth bynnag.

Oleuni mwyn trwy'r . . .

Ganwyd Sioned, ein merch, yn 1954, a bu'n rhaid i Mary gael llawdriniaeth *Caesarean* i roi genedigaeth iddi. Yn swyddfa Gordon-Roberts & Co. yr oeddwn ar y pryd, ond wedi symud i Swyddfa'r Sir yng Nghaernarfon erbyn yr oeddym yn disgwyl ein hail blentyn yn 1958. Oherwydd y drafferth hefo geni Sioned 'roedd Mary'n mynd yn rheolaidd i weld arbenigwr yn ystod ei beichiogrwydd.

Pan ddaeth ei hamser fe'i cymerwyd yn sâl ar y gyda'r nos a rhuthrais â hi yn y car i Ysbyty Dewi Sant, Bangor. Fe'i cadwyd yn y cyflwr hwnnw am yn agos i bedair awr ar hugain cyn geni'r plentyn. Bûm yn yr ysbyty sawl gwaith yn ystod y dydd i holi beth oedd o'i le, a chael yr un ateb bob tro, sef bod popeth yn iawn. Er nad oes gennyf wybodaeth feddygol 'roedd fy mhrofiad ym myd amaeth yn gwneud i mi gredu nad oedd popeth ddim yn iawn. Yn hwyr yn y nos cefais alwad i ddweud bod plentyn wedi ei eni, mai *forceps delivery* ydoedd, bod Mary yn wael ond y byddai'n gwella, ond bod y plentyn yn cael ei gadw mewn *Oxygen tent* ac na ellid dweud beth oedd y rhagolygon iddo fyw.

Euthum draw i Fron Eryri lle 'roedd Wil Fôn yn dal ar ei draed a dweud wrtho sut yr oedd pethau. Cofiaf hyd y dydd heddiw i ni drafod cynnwys llythyr a ymddangosodd yn y *Times* ychydig ynghynt; llythyr yn cyfeirio at yr arferiad o gadw plant newyddanedig yn fyw trwy gymorth *Oxygen* dros gyfnod o amser, a'r llythyrwr yn amau'r priodoldeb o wneud hynny yn wyneb y perygl i'r ymennydd gael ei niweidio. Yn wir, dywedais rywbeth i'r perwyl fy mod yn gobeithio nad oedd dim byd felly wedi digwydd.

Bu'r baban yn wael am rai dyddiau ond, wedi troi'r gornel megis, edrychai fel pe bai'n dod ymlaen yn iawn. Yn fy marn i, 'roedd o'n llawer tlysach babi nag oedd Sioned a bûm yn sôn am hyn yn ddigon cellweirus gan ddweud mai dyna oedd i'w ddisgwyl ac yntau'n fachgen. I bob ymddangosiad 'roedd popeth yn iawn a bellach yr oeddym yn ymfalchïo bod gennym ferch a mab. Awgrymwyd yr enw Gwion i mi, ac felly y bedyddiwyd ef. 'Roeddwn yn cofio bod gennyf lyfr o'r enw *Llyfr Gwion Bach* pan oeddwn yn blentyn.

'Roedd Gwion i'w weld yn datblygu'n hollol naturiol, yn ddidrafferth iawn ac 'rwy'n cofio dweud cymaint haws yr oedd na'i chwaer i'w fagu ac yn cellwair eto bod bechgyn yn gallach yn eu cenhedlaeth na merched.

Ni allaf, erbyn hyn, fod yn sicr pa bryd y daeth yr amheuaeth cyntaf i'm meddwl y gallasai fod rhywbeth yn wahanol yn natblygiad Gwion. Efallai mai sylwadau digon difeddwl gan eraill a roddodd y syniad yn fy mhen nad oedd popeth yn iawn, sylwadau fel, 'Mae o'n cael bywyd rhy braf, mi ddylai fod yn eistedd i fyny bellach,' ac, yn ddiweddarach, 'Ydi o byth wedi dechrau cropian?' ac 'Ydi o'n dweud "Mam" bellach?' 'Roeddwn i'n dechrau amau ond ni chymerwn y byd ag awgrymu wrth Mary fod unrhyw beth o'i le. Yn wir, nid wyf yn credu bod neb arall yn amau chwaith ac, wedi'r cwbl, fe wyddwn erioed fod gennyf ddychymyg hynod o fyw.

Aeth yr amser rhagddo a'm pryder yn dyfnhau. Chwiliwn am bob arwydd i brofi mai dychmygu pethau yr oeddwn. Cofiwn yn iawn fel y byddai mam yn dweud mor ara' deg fu fy mrawd yn dysgu siarad. Prynwn deganau addysgol i Gwion ac 'roedd yn eu trin fel meistr. Na, ni fedrai dim fod o'i le. Ond pam yr oedd yn ei ysgwyd ei hun yn ôl ac ymlaen fel peth gwirion a pham nad oedd arwydd o gwbl ei fod yn barod i ddod yn lân ac yn sych? 'Roedd yn ddwyflwydd oed ac erbyn hyn 'roeddwn mewn gwewyr meddwl ofnadwy, yn ofni pan fyddai pobl yn cyfeirio at Gwion ac yn llwyddo i droi'r sgwrs ar drywydd gwahanol bob tro y sonnid am blant neu unrhyw beth yn ymwneud â hwy. Llwyddodd Mary a minnau i siarad â'n gilydd a phenderfynu mynd â Gwion i weld Arbenigwr Plant yn Ysbyty Dewi Sant, Bangor i gael gweld beth oedd y rheswm am y diffyg datblygiad. Fe'm cofiaf fy hun yn edrych ar Gwion ar y ffordd i'r ysbyty gan fy nghysuro fy hun ei fod yn ymddangos yn blentyn holliach a'n bod ninnau'n poeni'n ofer.

Yn yr ysbyty gwelsom Dr Gwyn Griffith, a adwaenwn yn dda. Siaradodd â ni am ychydig ac yna troes i'r Saesneg ac meddai, *'What can I tell you, except that this boy is sub-normal both physically and mentally — although he cannot be classified as an imbecile or an idiot.'* Teimlwn fod fy mywyd, i bob pwrpas, ar ben ac na fuaswn byth yn medru gwenu wedyn. Ni raid dweud ei fod yn brofiad dirdynnol ond gallaf eich sicrhau na all rhiant gael newydd fel yna a bod yr un fath wedyn ac na all neb na chafodd y profiad ddirnad y ganfed ran o'r effaith ar dad a mam. Diolch i'r nefoedd ein bod gyda'n gilydd pan gawsom y newydd. 'Roedd meddyliau yn chwyrnellu trwy fy mhen. Sut yn y byd y gall Mary ymdopi â pheth fel hyn? Pam? 'Fedr o ddim bod yn wir! 'Fedra i, sy'n gyfreithiwr, yn ddyn cyhoeddus, ddim bod yn dad i hogyn hanner call. Beth wna i hefo fo? Dydi o ddim yn wir, hunllef ydi'r cwbl ac mi ddeffra i yn y munud. Y peth bach del, pam ddiawl na fasa'r doctor 'na wedi medru deud na 'does ganddo fo ddim ond wythnos i fyw? Ia, dyna fuasai wedi bod y newydd gorau posibl. A beth am Sioned, sut ddyfodol gaiff hi? 'Does dim ateb, a dim ond tywyllwch o'n blaenau ni.

Cyrraedd adref a phawb yn disgwyl am y newydd o'r ysbyty ac, yn ffodus iawn, nid wyf yn un am gadw pethau i mi fy hun, ac felly fe ddywedwyd wrth bawb ar unwaith beth oedd canlyniad y daith i Fangor. 'Doedd gan neb ddim i'w ddweud a fedrai ein cysuro, dim ond mynegi mor ddrwg oedd ganddynt glywed, a rhai yn edrych ar Gwion ac yn dweud na allent gredu'r peth. Dyna, mi gredaf, oedd yr adeg y sylweddolais mor dda oedd i ni ein bod wedi aros yn y Waun. Fe gastellodd pobl yr ardal o'n cylch. Ond beth oedd y dyfodol i fod?

Bu cyfnod na ellir ei ddisgrifio ond fel un o bensyfrdandod. Âi pethau ymlaen yn ôl trefn arferol bywyd ond 'roedd y cwbl yn ddarostyngedig i'r ymwybyddiaeth o drasiedi enfawr a wnâi bopeth arall yn ddibwys o amherthnasol. Wrth edrych yn ôl, mae'n debyg mai'r profiad rhyfeddaf a ddaeth i'm rhan oedd cael syniad hollol afreal: mae gan Gwion niwed i'w ymennydd, ond yn yr oes hon mae popeth yn bosibl ac mi af â fo i bellafoedd byd i gael yr arbenigwr gorau posibl, a'i fendio fo. Gwyddwn o'r gorau nad oedd y fath beth yn bosibl ond, am gyfnod byr, 'roedd fel pe bai rhyw ragluniaeth ddoeth yn cynnig ffug obaith i'm helpu i gadw fy synhwyrau. Daeth realaeth yn ôl a minnau yn ceisio wynebu bywyd. Ceisiai fy nghyfeillion agos gynghori, 'Anfonwch o i ffwrdd i ysbyty arbennig ymhell, a cheisiwch ei roi o'r tu ôl i chwi. Mae Sioned gynnoch chi, ac mae'n rhaid iddi hithau gael chwarae teg.' Unwaith eto, o edrych yn ôl, pe bai Gwion yn ddim ond diwrnod oed gallasem fod wedi ystyried gwneud hynny. Wedi'r cwbl, 'doedden ni ddim yn adnabod neb oedd â phlentyn fel hyn a 'doedd dim gwasanaethau yn bod i helpu teuluoedd a wynebai'r fath broblem. Ond 'roedd Gwion yn ddwyflwydd a hanner ac wedi gwneud lle iddo'i hun yn y cartref, ac felly, beth, beth ar wyneb y ddaear a wnaem? Bron yn ddi-feth, pan gysgwn y nos, cawn yr un freuddwyd dro ar ôl tro — Gwion wedi gwella — ac yna deffro a sylweddoli nad oedd wedi gwella ac nad oedd gwella iddo.

Gwasanaeth Iechyd y Cyngor Sir oedd yn gyfrifol am wneud archebion i anfon plant a phobl debyg i Gwion i ffwrdd i ysbytai ac, o bryd i'w gilydd, 'roeddwn wedi gweld a chlywed cyfweliadau pan oedd hyn yn digwydd; yn wir, 'roeddwn wedi trafod hefo fy nghyfaill Inigo y priodoldeb o gadw rhai tebyg yn fyw! Yn y cyswllt hwn yr euthum i weld Dr Baines, a oedd yn Ddirprwy Feddyg Sirol ar y pryd, gan ofyn iddo, pe byddai angen anfon Gwion i ffwrdd, tybed a fyddai modd i'r archeb angenrheidiol gael ei gwneud heb i mi ddod ag ef i'r swyddfa. Sicrhaodd fi y gellid gwneud trefniadau eraill ond, yn bwysicach, gofynnodd a hoffai Mary a minnau iddo ddod i drafod oblygiadau dyfodol Gwion gyda ni. Cytunais ar unwaith wrth reswm. 'Roedd Dr Baines yn un o'r nifer fawr y bu eu caredigrwydd ar amser anodd yn fwy o help nag a feddyliai yr un ohonynt. Sgwrs gyda

Dr Baines a wnaeth y gwahaniaeth mawr yn ein bywydau.

Credwn mai am drafod yr ysbyty gorau ar gyfer Gwion yr oedd Dr Baines ac fe gawsom drafodaeth i'r cyfeiriad hwnnw ac yntau'n pwysleisio mai gwell oedd anfon Gwion i ysbyty o dan y Gwasanaeth Iechyd yn hytrach nag un preifat. Yna trodd ataf a gofyn a wyddwn rywbeth am Ddeddf Iechyd Meddwl 1959, ac 'roedd yn rhaid i mi gydnabod na wyddwn am ei bodolaeth. Esboniodd fel yr oedd yr athroniaeth ynglŷn â gofalu am blant fel Gwion wedi newid a datblygu gan ddweud mai'r farn bellach oedd mai yn y gymuned yn hytrach nag allan o olwg pobl y dylid gofalu amdanynt. Yn fuan iawn, meddai, byddai swyddogion yn y Sir a fyddai'n rhoi cymorth yn y cartrefi ac fe fyddai'r Cyngor Sir yn adeiladu ysgolion arbennig a chanolfannau hyfforddiant ar eu cyfer. 'Roedd y Ddeddf hefyd yn rhoi cyfrifoldeb ar y Cyngor Sir i agor hosteli lle gallai plant a phobl o'r fath gael eu sefydlu mewn cartrefi o fewn y gymuned ac o fewn cyrraedd eu perthnasau.

Am y tro cyntaf er pan glywais ddedfryd yr arbenigwr ar Gwion 'roeddwn yn gweld golau gwan ym mhen draw'r twnnel. Daeth rhyw ymdeimlad o ryddhad a thawelwch rhyfeddol o wybod bod gobaith y caem gadw Gwion gartref ac na fyddai rhaid troi cefn arno. Efallai y medrwn wenu eto.

Erbyn hyn 'roeddwn wedi ymbwyllo a sylweddoli nad oedd gwella i fod ond eto yn awyddus i wybod a oedd modd gwneud rhywbeth yn feddygol a fuasai o fudd i'r bychan, a threfnodd ein meddyg lleol, Dr Miles, i ni fynd â Gwion i weld arbenigwr yn Lerpwl. Er na allai ddweud dim wrthym nad oeddym yn ei wybod yn barod bu'r drafodaeth yn fodd i ni sylweddoli y gallai pethau fod yn waeth. Peth arall a ddywedodd yr arbenigwr oedd, 'Mr Davies, 'rydych chi'n gyfreithiwr ac mi wyddoch beth allwch ei wneud ynglŷn â'r hyn a oedd, yn fy marn i, yn ddiofalwch anhygoel yn yr ysbyty.' Fe wyddwn, ond 'roeddwn yn rhy doredig fy ysbryd, ac i beth yr awn ar drywydd a fyddai'n chwerwi mwy arnaf? Wedi'r cwbl, ni fuasai'r holl arian ar wyneb daear yn gwneud iawn am gyflwr yr hogyn.

Bu gweld yr arbenigwr yn gymorth i Mary mi gredaf. 'Roedd hi wedi digio'n arw wrth Dr Gwyn Griffith oherwydd y modd y dadlennodd y ffeithiau am Gwion i ni ac ni allodd faddau iddo byth. Ar y llaw arall, 'rwy'n credu iddo ddewis y ffordd iawn cyn belled ag yr oeddwn i'n bod. 'Roedd yn rhaid rhoi ergyd i'r mur yr oeddwn wedi ei godi rhyngof a realaeth y sefyllfa.

Bellach nid oedd anhawster i benderfynu mai gartref yr arhosai Gwion ond ychydig a feddyliem y byddai'r Cyngor Sir mor ara' deg yn rhoi cynnwys y Ddeddf y cyfeiriodd Dr Baines ati mewn grym. 'Roedd Gwion yn tyfu ac wrth dyfu âi yn fwy a mwy anhydrin ac ni wyddem sut y dylem ei drin. Ni wyddem a ddylid ei ddisgyblu mewn unrhyw ffordd ac ni wyddem chwaith faint o grebwyll oedd ganddo. Beunydd byddai rhywun neu'i gilydd yn dweud mai plentyn a fyddai ar hyd ei oes, mai 'Gwion Bach' a fyddai, a dangosent dosturi mawr wrth sôn am yr oes o gyfrifoldeb a'n hwynebai.

Y boen fawr ar y pryd oedd ei fod yn gwneud bywyd yn hollol annioddefol. Soniais eisoes ei fod yn ei ysgwyd ei hun yn ôl a blaen, ac wrth iddo dyfu 'roedd hyn yn creu problem fawr pan roddid ef i lawr i gysgu. Yn y diwedd bu rhaid imi fenthyca cot o'r ysbyty, gydag ochrau arno, a'i bowltio i ddwy slipar lein. Dyna'r unig ffordd, cyn belled ag y gwelwn, i'w rwystro rhag ei ysgwyd ei hun allan trwy ffenestr y llofft. Os gadewid ef ar ei ben ei hun fe faluriai bob dim o fewn cyrraedd — llenni, gorchudd cadeiriau a phopeth y gallai gael gafael arnynt mewn cypyrddau. Bu rhaid rhoi cloeon ar bob drws ac ar bob cwpwrdd yn y tŷ ond 'roedd yn amhosibl gwarchod popeth ac fe ddinistriodd werth arian lawer o gelfi ac offer o bob math. Cofiaf yn dda am y prynhawn y penderfynodd Mary fod rhaid iddi geisio glanhau'r llofftydd, a chloi Gwion yn y gegin lle 'roedd popeth dan glo. Oherwydd sŵn yr Hoover ni chlywodd Gwion yn defnyddio'r potiau blodau i falu'r teils ar wal y gegin. Nid oes eisiau llawer o ddychymyg i feddwl faint o lanast oedd yno. Un enghraifft yw honno, un rhan fach o'r hunllef nad oedd diwedd iddi.   Ond nid dygymod ag ymddygiad Gwion oedd y broblem fwyaf ond yn hytrach ceisio cael trefn ar ein teimladau ni ein hunain, teimladau na wyddem sut i ddelio â hwy.

Ar ôl penderfynu y byddai Gwion yn aros gartref, 'roedd rhaid ystyried a cheisio rhagweld sut y gallasai hynny effeithio ar fywyd Sioned. Gwnaethom benderfyniad ar unwaith ei bod yn bwysig na châi Sioned achos i feddwl y byddai ganddi hi unrhyw gyfrifoldeb i ofalu amdano ar unrhyw adeg yn ei fywyd. 'Roedd hyn mewn cyfnod pan geid digonedd o enghreifftiau o bobl y difethwyd eu bywydau trwy aros gartref i ofalu am rywun gwael, a byddai gorfod wynebu hynny, ar ben anghaffael Gwion, yn ormod i ymgodymu ag ef. Efallai mai penderfyniad hunanol ydoedd ar y pryd ond, yn y pen draw, credaf ei fod yn benderfyniad doeth.

Serch hynny, effeithiodd Gwion gryn lawer ar fywyd Sioned. Gwaetha'r modd, 'roedd rhaid rhoi'r sylw blaenaf iddo ef ym mhob penderfyniad. Byth a hefyd 'roeddwn yn gorfod gwrthod rhyw gais cwbl naturiol gan Sioned, megis, 'Gawn ni fynd i'r tŷ bwyta i gael bwyd?' a minnau'n ateb mor aml, 'Ond Sioned bach, 'rwyt ti'n gwybod na fedrwn ni ddim mynd â Gwion i le fel'na.' Ofnem fod arni gywilydd dod â ffrindiau adref ac, er na chredaf i hynny ddigwydd, ni fuasai gronyn o fai arni. Gyda Gwion yn frenin, yr oedd yn gartref gwahanol, a dweud y lleiaf. Rhaid cofio nad oedd gennym yr adeg honno yr wybodaeth sydd ar gael heddiw ac mae'n rhaid bod rhuddin ardderchog yn Sioned oherwydd, er gwaethaf amgylchiadau a allasai ei niweidio, magodd bersonoliaeth na ellir llai na'i hedmygu. Erbyn hyn mae hi a'r teulu yn gefn inni, a'r berthynas annwyl rhyngddi hi a Gwion yn parhau.

Yr wyf eisoes wedi cyfeirio at y ffaith fy mod yn gymeriad allblyg a'm bod wedi datgelu'r wybodaeth a gawsom am Gwion i bawb ar unwaith ac ni wnaeth Mary na minnau unrhyw osgo i'w guddio o ŵydd pobl, fel y gallasai fod wedi digwydd yn hawdd yn y cyfnod hwnnw; yn wir, 'roedd hynny'n beth cyffredin iawn. Y gofid mwyaf a gaem oedd ei fod yn edrych yn gwbl naturiol, ac felly, yn aml iawn, 'roedd pobl yn meddwl mai hogyn bach drwg eisiau ei wastrodi oedd ein plentyn.

Byddai'n ddiddorol gwybod beth oedd yn gyfrifol am ei ofn dychrynllyd o fynd o gwmpas Caernarfon mewn un cylch, tra'n berffaith dawel wrth fynd o gwmpas y ffordd arall. Yn gam neu'n gymwys, fe'i gorfodwn i fynd yn groes i'w ewyllys. Yn sydyn, byddai'n penderfynu fod arno ofn rhywbeth neu'i gilydd ac nid oedd dim a allem ei wneud ynglŷn â'r peth. 'Roedd ei ymddygiad mor anesboniadwy nes peri imi anobeithio'n llwyr.

Sylweddolais yn gynnar fod amryw o bobl yn cael anhawster mawr i wybod sut i'n cyfarch pan aem o gwmpas: rhai yn cymryd arnynt nad oedd Gwion gyda ni o gwbl; eraill yn ei drafod ond heb edrych arno; eraill yn llawer rhy dadol wrth ei gyfarch. Da o beth oedd fy mod yn sylweddoli ei bod bron yn amhosibl i'r cyfeillion hyn wybod sut i drafod sefyllfa oedd mor anodd iddynt.

Pwysigrwydd creu'r amgylchiadau a'i gwnâi'n haws i gymdeithas dderbyn pobl â nam arnynt fu testun llawer o'm hareithio a'm hysgrifennu ymhen blynyddoedd wedyn. Yn llawer iawn diweddarach y sylweddolais ei bod, mewn gwirionedd, yn haws i eraill dderbyn Gwion nag yw i mi. Mae ymateb rhieni i'r ffaith bod gan eu plentyn nam meddwl yn beth mor gymhleth fel na ellir, yn rhesymol, ei ddadansoddi. Mae'n gymysgedd o euogrwydd, ofn, cywilydd, casineb a chariad mor ofnadwy nes ymylu ar fod yn ysfa annaturiol i warchod y plentyn rhag i'r gwynt chwythu arno ac, o dan y cwbl, yr ymdeimlad o chwerwder am nad oes ateb i'r cwestiwn 'Pam y digwyddodd hyn i mi?' Nid yw'n hawdd dod i delerau â chymysgedd o deimladau mor ddamniol.

Un tro cofiaf ŵr a gredai y dylid derbyn y Beibl yn llythrennol yn gofyn a fynnwn iddo weddïo am i Gwion gael gwellhad. Trwy drugaredd, 'roedd hyn wedi cyfnod yr ing uffernol y bûm trwyddo ar y cychwyn cyntaf ac 'roeddwn yn gallu tosturio wrth y brawd yn hytrach na'i felltithio.

Er yn grefyddwr selog, amheuwr yn ymylu ar fod yn anffyddiwr oeddwn ers blynyddoedd, a hynnny am fy mod yn ystyried rhai o'r hanesion a gofnodir yn y Beibl, yn arbennig rhai o'r gwyrthiau, yn hollol anghredadwy. 'Roedd y ffaith na fedrwn dderbyn bod yr hanesion hynny yn wir yn tueddu i wneud i mi wrthod y cyfan a throi fy nghefn ar ryw Dduw a gyflwynid i mi fel Duw a allai wneud triciau pan ddymunai hynny ond a oedd hefyd yn gyfrifol am ddychrynfâu megis daeargrynfeydd a llosgfynyddau pryd y gallasai yn hawdd eu rhwystro.

Pan sylweddolais fod Gwion fel ag yr oedd, sylweddolais hefyd fod rhai pethau tu hwnt i allu unrhyw dduw-gwneud-triciau ac nad oedd gallu ar y ddaear, yn y nefoedd nac yn uffern a allai fendio fy mhlentyn. Deallais yn yr ing hwnnw y byddai nid yn unig yn ffolineb i weddïo am iachâd iddo ond y byddai'n bechod gwneud hynny. Trwy drugaredd, yr un adeg hefyd y sylweddolais rym y Duwdod yn y caredigrwydd a gawsom gan bobl.

Sylweddolais fod modd cael nerth i dderbyn yr hyn a ddigwyddodd, fod y nerth hwnnw i'w gael trwy weddi a bod medru derbyn a gwneud y gorau o amgylchiad na ellir ei newid yn fwy gwyrthiol na dim arall y gallwn obeithio amdano. Deallais fod mwy o ddyfnder i'r Duwdod o lawer na'r straeon pitw a fu'n rhwystr i mi ddarganfod y goleuni. Sylweddolais mor arwynebol oedd fy ystyriaeth o'r Duwdod wedi bod yn y gorffennol ac mai 'gorchudd ar bethau mawrion' oedd yr hanesion Groegaidd a impiwyd ar hanes y gŵr a ymgorfforai gariad.

Sôn yr oeddwn fod Dr Baines wedi bod yn trafod

oblygiadau Deddf Iechyd Meddwl 1959 a dyletswydd y
Cyngor Sir i baratoi gwasanaethau ar gyfer plant tebyg
i Gwion, ond 'doedd y Cyngor Sir i'w weld yn gwneud
dim. Gwir, fe ddôi swyddog o'r Adran Iechyd ar ei dro
i weld sut 'roeddym yn ymdopi ac mae Mary'n dweud
bod yr ymweliadau hynny wedi bod o gymorth iddi. Ein
gwir angen, fodd bynnag, oedd cael rhyw hoe bach heb
y gofal parhaus am Gwion ond oherwydd ei *hyper-activity*
enbyd nid oedd yn hawdd gofyn na gadael i neb arall
gymryd gofal ohono. Ond daeth llewyrch o oleuni pan
ddywedodd un o swyddogion yr Adran Iechyd fod
cysylltiadau'n cael eu gwneud â theuluoedd yn yr un
sefyllfa â ni a bod cyfarfod wedi ei drefnu ym Mangor.

Aethom yno ac, am y tro cyntaf, cawsom gyfle i drafod
gyda phobl a oedd yn wynebu'r un problemau yn union.
Yr ymdeimlad o ryddhad oedd gryfaf y noson honno: nid
y ni oedd yr unig rai gyda thrafferthion fel hyn.
Penderfynwyd sefydlu Cymdeithas Bangor a'r Cylch i
blant â nam meddwl a threfnwyd i gyfarfod yn rheolaidd.
Penderfynwyd y byddem yn ymuno â'r Gymdeithas
Genedlaethol yn Llundain ac yn cysylltu â'r Swyddfa
Ranbarthol ym Manceinion. Ar y pryd, Cymdeithas
Bangor oedd yr unig un yng Ngwynedd. Y noson honno,
nid oeddwn yn sylweddoli bod llwybr newydd wedi agor
o'm blaen ac y byddwn yn ei droedio am bellter ac amser
maith.

Rhyw griw digon cymysg a ddaeth ynghyd ym Mangor
i ffurfio'r Gymdeithas ond yr oedd rhwymyn anghyffredin
o gryf yn ein clymu at ein gilydd. Nid yn unig yr oedd
arnom eisiau trafod ein problemau unigol â rhywun neu
rywrai eraill oedd â phroblem debyg ond yr oeddym hefyd

mor ymwybodol o'r diffyg gwasanaethau ar ein cyfer fel ein bod i gyd yn benderfynol o newid y sefyllfa a'n galluogi i gael rhyw lun o fywyd.

Penderfynwyd cysylltu â'r Cyngor Sir i ofyn iddynt drefnu bod Ysgol Arbennig yn cael ei sefydlu rhag blaen, yn unol â'r ddarpariaeth yn y Ddeddf Iechyd Meddwl. Cysylltwyd hefyd â'r Gymdeithas Genedlaethol yn Llundain ac â'r Swyddfa Ranbarthol ym Manceinion, a chredaf ein bod yn disgwyl datblygiadau y diwrnod wedyn! 'Doedd dim yn digwydd ac 'roedd anfodlonrwydd mawr yn ein plith.

Gwyddwn i mai gam wrth gam y mae Cyngor yn symud a bod rhaid clustnodi arian ac felly ymlaen cyn i unrhyw wasanaeth newydd ddod yn ffaith. Gwyddwn hefyd fod gan Gynghorwyr eu blaenoriaethau ac na fyddai paratoi gwasanaeth ar ein cyfer ni yn cyfrif fawr ddim pan ddeuai'n fater o hel pleidleisiau.

Sylweddolwyd hefyd, yn fuan iawn, nad oedd y gwasanaeth a geid gan Swyddfa Ranbarthol y Gymdeithas Genedlaethol yr un gorau o bell ffordd.

Yn ffodus — fe ddywed Mary 'yn rhagluniaethol' — 'roedd yn haws i mi nag i lawer roi rhywfaint o danwydd ym mheiriant y Cyngor Sir. Dechreuwyd llythyru o ddifrif gan eu hatgoffa fod gan yr Adran Iechyd yng Nghaerdydd bwerau i orfodi Cynghorau oedd heb fod yn gwneud eu dyletswydd o dan y Ddeddf.

Yn ddiddorol iawn, byddwn o bryd i'w gilydd yn gweithredu fel Clerc y Pwyllgor Iechyd Meddwl ac yn darllen fy llythyrau fy hun i'r pwyllgor, a chynnwys rhai ohonynt yn fygythiol iawn! A bod yn deg, ni wnaeth unrhyw Gynghorydd warafun i mi geisio dylanwadu arnynt yn y maes hwn.

Yna, un diwrnod daeth y newydd fod yr Awdurdod Iechyd yn agor ysgol arbennig yn Neiniolen ar gyfer rhai â nam meddwl. Yn adeilad y Clinic, am ran o'r dydd pan na fyddai ei angen at ei briod waith, y byddai'r ysgol ac fe benodwyd dwy o ferched i gychwyn y fenter ac i ofalu am y disgyblion. Siom enbyd i Mary a minnau oedd deall na fyddai Gwion ymysg y disgyblion cyntaf. Ofnwn fod gwybodaeth am ei ymddygiad anhydrin wedi peri i'r Awdurdod ei gadw draw er budd y gweddill ond, cyn i mi ddechrau cadw stŵr, cawsom air yn gofyn i Mary a minnau fynd â Gwion i gwrdd â Mrs M. Catherine Jones, pennaeth yr ysgol.

Cofiaf fel y soniem am ragoriaethau Gwion gan geisio cuddio oddi wrthi'r trafferthion a gaem. Cawsom wybod ei bod yn barod iddo gael cyfle yn yr ysgol a mynd yno am ddarn diwrnod ddwywaith yr wythnos. Byddai rhaid i Mary fynd ag ef i gwrdd bws arbennig a fyddai yn ei gyrchu o ymyl y Llythyrdy, rhyw chwarter milltir go dda o Fryn Eithin, ond pris bach iawn oedd hynny am gael bod yn rhydd o'r gofal am deirawr ddwywaith yr wythnos. Teg yw cydnabod mai fel cyfle i gael gwared ag ef am gyfnodau yr ystyriem yr arbrawf.

O dro i dro clywais amryw yn dweud eu bod yn ei chael yn anodd bod ynghanol twr o blant neu bobl â nam arnynt. Mae gennyf gryn gydymdeimlad â hwy. Cofiaf, pan euthum i'r Clinic yn Neiniolen, fy mod innau yn methu â stumogi'r criw anystywallt o blant a phobl, a'u hoedran yn amrywio o bedair i ddeugain oed, a oedd yn corddi o'm cwmpas ac yn fy mhawennu. Ie, er fy mod yn dad i un a oedd cyn waethed â neb ac wedi hen arfer ag ef.

Y rhyfeddod mwyaf, ac un a bery'n rhyfeddod i mi, yw sut y llwyddodd Mrs M. Catherine Jones a Mrs Jean Evans i gael trefn o gwbl yno, o gofio bod cyswllt llawer o'r disgyblion â'r byd o'r tu allan i'w cartrefi wedi bod yn denau iawn. Llwyddasant i gynhyrchu pasiant Nadolig yn fuan ar ôl i Gwion ddechrau yno. Ond camgymeriad mawr oedd ei gastio fel angel!

O safbwynt y rhieni 'roedd cael ysgol o unrhyw fath ar ôl bod heb ddim yn gam ymlaen o dragwyddol bwys ond, yn ôl y patrwm arferol, buan iawn yr oeddym yn ailddechrau cwyno. Nid oedd rhannu Clinic yn ddigon da ac 'roedd yn rhaid cael gwell manteision. O dan bwysau ar ran y Gymdeithas penderfynodd y Cyngor Sir ddefnyddio hen Ysgol Eglwys Llandinorwig fel cartref newydd. 'Roedd aelodau Cymdeithas Bangor yn dysgu sut i ddwyn perswâd ac wedi sylweddoli bod llawer o wirionedd yn y dywediad Saesneg, 'It's the squeaking wheel that gets the oil.' O do, fe ofalwyd fod yr echel yn gwichian yn uchel ac yn aml!

Nid oedd yr adeilad newydd yn ddelfrydol o bell ffordd ond, o leiaf, 'roedd yno nifer o ystafelloedd fel y gellid rhannu'r disgyblion i wahanol ddosbarthiadau a cheisio ehangu maes yr hyfforddiant.

Yn fuan iawn ar ôl cael yr ysgol yn Llandinorwig yr oeddym yn edliw i'r Cyngor Sir mai hen ysgol wedi ei throi heibio ydoedd, ac yn mynnu yn enw cyfiawnder fod y Cyngor yn rhoi yr un cyfleusterau i'n plant ni ag a roddai i blant eraill. O'r diwedd codwyd Ysgol Pendalar, gyda

Chanolfan Hyfforddi Segontiwm wrth ymyl, ac ychwaneg o staff i wneud y cyfan yn llawer mwy effeithiol.

Yng nghyfarfod agoriadol yr Ysgol a'r Ganolfan, cyfeiriodd yr Henadur R.H. Owen at fy ymdrechion personol i a manteisodd ar y cyfle i hysbysu cynrychiolwyr y Swyddfa Gymreig a oedd yn bresennol ei fod yn gwybod fy mod eisoes yn pwyso am gael Hostel ac y byddai ef yn gofalu ein bod yn cael yr arian maes o law. Bu R.H. yn gefn mawr, a chofiaf ei fod yn Gadeirydd y Pwyllgor Cynllunio pan wrthwynebid cais i adeiladu'r Hostel ym Maesincla, ac yntau yn dod ataf gan ddweud, 'Yli boi, mi gei di dy hostel pe byddai rhaid i ni ei chodi hi ar garreg fedd y Cynghorydd . . !' Fe'i cawsom maes o law.

I'r Gad

Nid â'r Cyngor Sir yn unig yr oedd brwydr Cymdeithas Bangor. Yn bur gynnar yn ein hanes 'roeddym yn cysylltu â chymdeithasau ym Mae Colwyn a'r Fflint. I bwrpas gweinyddu'r Gymdeithas Genedlaethol dros blant â nam meddwl yr oedd y Deyrnas Gyfunol wedi ei threfnu'n rhanbarthau. 'Roedd De Cymru yn un o'r rhanbarthau hynny ond 'roedd Gogledd Cymru yn rhan o ranbarth Gogledd-orllewin Prydain, a'r swyddfa, fel y cyfeiriais eisoes, ym Manceinion.

'Roedd y cyn-aelod seneddol Ewropeaidd, Miss Beata Brookes, yn weithgar iawn yn y maes yn Sir y Fflint, a chan ein bod ninnau'n teimlo nad oedd y gwasanaeth a gaem gan y Swyddfa Ranbarthol ym Manceinion yn deilwng, fe geisiwyd perswadio'r Gymdeithas Genedlaethol i wneud Cymru yn rhanbarth ynddi'i hun. Cynhaliwyd cyfarfod yn wrthgefn i'r Swyddog Rhanbarthol a bu cryn dipyn o ddrwgdeimlad ac ymgecru, gyda Chymdeithasau lleol Gogledd Cymru yn gwrthod cydweithredu â Manceinion am gyfnod. Bu Miss Beata Brookes a minnau mewn cyfarfod arbennig o'r Gymdeithas Genedlaethol yn Birmingham yn ymladd am annibyniaeth ond methiant fu'r ymdrech.

Am gyfnod, meddyliwn y gallem barhau i weithredu heb fod yn gysylltiedig ag unrhyw ranbarth o gwbl ond ofnwn y gallai fy 'styfnigrwydd arafu'r gwaith o gael gwell gwasanaethau. Trefnwyd i mi gyfarfod Cyfarwyddwr y rhanbarth ym Manceinion ac, o ganlyniad, lluniwyd rhyw lun o gytundeb a oedd yn cydnabod Cyngor o Gymdeithasau lleol Gogledd Cymru fel rhan o ranbarth y Gogledd-orllewin. Fel Cadeirydd y Cyngor hwnnw bûm am rai blynyddoedd yn cydweithio â'r Rhanbarth ac yn mynychu cyfarfodydd ym Manceinion rhyw unwaith y mis, ac yn Ddirprwy-gadeirydd. Fodd bynnag, 'roeddwn yn dal yn benderfynol o ddileu'r uniad annaturiol ac, o'r diwedd, llwyddais i gael cefnogaeth Rhanbarth y Gogledd-orllewin i gynnig yn galw ar i Gymru gael ei chydnabod yn rhanbarth pan fyddai De Cymru yn barod i gydweithredu.

Dros y blynyddoedd 'roedd Cymdeithasau lleol wedi eu sefydlu ar hyd a lled Gwynedd a phenderfynwyd mai doeth oedd sefydlu un yng Nghaernarfon. Mary oedd yr ysgrifennydd cyntaf ac 'roedd yn gymdeithas gref. Cedwais gysylltiad agos â'r gweithrediadau a chan fy mod yn amharod i weithredu fel Cadeirydd ar y pryd credaf i mi gael fy ethol yn Llywydd.

Er bod Rhanbarth y Gogledd-orllewin wedi penderfynu, o ran egwyddor, y dylai Cymru fod yn uned, eto nid oedd symudiad o unrhyw fath i'r cyfeiriad hwnnw. 'Roedd y cyfrifoldeb am y gwasanaethau ym maes nam meddyliol yn cael ei rannu rhwng yr Awdurdod Iechyd a'r Cynghorau Sir a theimlwn fod gennym yng Nghymru gyfle arbennig i bontio rhwng y ddau gorff oherwydd mai'r Swyddfa Gymreig oedd yn gyfrifol am y naill a'r llall. Ond 'doedd na thwsu na thagu ar ran MENCAP fel corff dros Brydain.

Yn 1980 yr oedd y crochan yn dal i fudferwi yng nghyswllt amharodrwydd y Gymdeithas Genedlaethol i sefydlu Cymru yn rhanbarth o'r mudiad ac nid oedd fy ymdrechion ym Manceinion wedi dwyn ffrwyth.

Dyma'r adeg y penderfynodd Mrs Elinor Wigley, oherwydd amgylchiadau personol, fod cadeiryddiaeth Cymdeithas Caernarfon yn ormod o bwysau arni, ac o ganlyniad fe'm hetholwyd i yn Gadeirydd. Ar y pryd yr oedd yn Gymdeithas gref a blaengar yn y maes. Gyda Dafydd ac Elinor Wigley yn gefn i ni gwyddem y gallem symud pethau. Dyma'r amser y dadlennwyd fod cynlluniau ar droed gan Adran Iechyd y Swyddfa Gymreig i adeiladu nifer o ysbytai yng Nghymru i ddelio â phroblem pobl â nam meddwl — cynllun a oedd wrth gwrs yn gwbl groes i'r farn gyfredol. Bu collfarnu mawr ar y rhai a oedd yn gyfrifol.

Yr un pryd ag yr oedd Dafydd Wigley yn pwyso'n drwm ac yn aml am wasanaethau teilwng i rai â nam meddwl yng Nghymru yr oedd Cymdeithas Caernarfon yn gohebu ag Ysgrifennydd Cymru i dynnu sylw at y diffygion yng ngweinyddiad y gwasanaeth. Yr oeddwn hefyd, ar y dydd yr etholwyd Sir Brian Rix i Gadair MENCAP, yn ysgrifennu ato ef yn gofyn am i Gymru gael ei gwneud yn Rhanbarth gan ddatgan y byddem, yn niffyg hynny, yn ystyried sefydlu Cymdeithas annibynnol yng Nghymru. Yn wir, 'roeddwn yn cael fy annog i wneud hynny o leoedd annisgwyl a chefais sicrhad y byddai arian ar gael.

Erbyn hyn, ni allaf gofio'n iawn y nifer o gwestiynau a ofynnwyd gan Dafydd Wigley yn y Senedd ynglŷn â'r gwasanaeth yng Nghymru ond 'roedd yn anhygoel o uchel a bu'r pwysau ar y Swyddfa Gymreig yn ddigon yn y diwedd i berswadio Ysgrifennydd Cymru, Mr

Nicholas Edwards, i dderbyn bod rhaid rhoi ystyriaeth ddifrif i anghenion rhai â nam meddwl yng Nghymru. Yr hyn a wnaeth oedd sefydlu gweithgor gydag aelodau yn cynrychioli'r gwahanol ddisgyblaethau yn y maes a rhoi amser cyfyngedig iddynt gyflwyno cynllun ar gyfer y dyfodol. Cefais innau wahoddiad i fod yn aelod o'r gweithgor hwnnw.

Ar y pryd 'roeddwn yn brysur iawn fel Clerc yr Ynadon ond gwyddwn na allwn byth wrthod y cyfle hwn. Cafodd Mr Peter Jones, Cadeirydd MENCAP De Cymru, ei ethol hefyd a theimlwn fod hyn yn gyfle ardderchog i hwyluso'r ffordd i gael cydnabod Cymru fel rhanbarth yng ngweithrediadau MENCAP. 'Roedd Mr Peter Jones yn dad i ferch â nam arni ac fe wyddwn fod ganddo gydymdeimlad â'r symudiad i uno De a Gogledd Cymru, ond ei fod yn ei chael yn anodd i gario cymdeithasau'r De gydag ef.

Pan gytunais i fod yn aelod o'r gweithgor credwn mai fy swyddogaeth fyddai pwyso am fwy a gwell gwasanaethau. Nid oedd fy amheuon ynglŷn â rhoi gwasanaethau arbennig i bobl â nam meddwl wedi eu crisialu ar y pryd. Yn ystod cyfnod o weithio a dadlau caled am fisoedd y llwyddais i sefydlogi fy agwedd a derbyn athroniaeth yr oeddwn, efallai, wedi dod yn ymwybodol ohoni yn raddol tros gyfnod hir.

O edrych yn ôl, mae'n rhyfeddol sut, mewn cyfnod cymharol fyr, y trawsffurfiwyd y syniadau yr oeddwn wedi eu harddel a'u lledaenu ac wedi gweithio cymaint trostynt am gyfnod o ugain mlynedd.

Cael rhywun cyfrifol i ofalu am Gwion a'i gael oddi ar ein dwylo am gyfnodau yn ystod y dydd oedd ein prif obaith wrth ddwyn pwysau ar y Cyngor Sir i sefydlu ysgol ar gyfer ein plant. Hynny a dim mwy. Cael sicrwydd y byddai gan Gwion gartref pan na fyddai Mary a minnau'n medru gofalu amdano oedd wrth wraidd fy ymdrechion i sefydlu hostel yng Nghaernarfon. Hynny a dim mwy.

Cefais fy ysgwyd hyd fêr fy esgyrn un diwrnod pan ddaeth Gwion â llyfr ysgrifennu adref o'r ysgol. Yn hollol fwriadol daeth ag ef i mi, ei agor, a dangos llinellau igam-ogam yr oedd wedi eu gwneud hefo lliwiau, a'r brif-athrawes, Mrs M.C. Jones, wedi rhoi seren aur gyferbyn â'i waith. Credaf mai dyna'r tro cyntaf y sylweddolais o ddifrif ei fod yntau'n fod dynol fel unrhyw un arall. 'Roedd ganddo falchder ac 'roedd arno eisiau cael ei ganmol am ei waith. Nid rhywbeth i edrych ar ei ôl a gofalu amdano ydoedd: 'roedd yn berson yn ei hawl ei hun.

Bu'r digwyddiad hwnnw yn garreg filltir bwysig yn fy hanes. Wedi hynny, dechreuais sylwi ar y modd yr ymfalchïai Gwion mewn cael gwneud gwahanol swyddi, a phan ddeuai ei dro ef i fod yn *monitor* yn yr ysgol yr oedd yn chwe throedfedd o daldra.

Soniais ynghynt ei fod, er pan oedd yn ieuanc iawn, yn gallu trin teganau addysgiadol ac mae llawer yn synnu at y galluoedd rhyfeddol sydd ganddo mewn rhai cyfeiriadau. Yn ieuanc iawn gallai wneud posau jig-so digon astrus ond, yn rhyfeddach, eu gwneud â'u pennau i waered heb weld y llun. Bu amser pan fyddai rhieni yn mynd â hen deganau, gan gynnwys jig-sos, i'r ysgol ac weithiau byddai pump neu chwe jig-so wedi eu cymysgu ond fe'u didolid yn ddi-feth gan Gwion.

Yn ddiweddarach yn ei fywyd gallai wneud modelau

o awyrennau *Air-fix* mawr a chymhleth, ac eto ni fedrai ddarllen. Adeiladodd set drên drydan gyda thraciau llathenni o hyd yn cael ei rhedeg gan ddau dransfformer. Gwnaeth hyn trwy ddilyn planiau, a llwyddai i ddewis y darnau iawn o lein yn ôl yr angen. Byddaf yn gwylltio wrth weld y gallu rhyfeddol hwn nad oes unrhyw fodd i'w harneisio. Ni wnâi ddim ond yr hyn a fynnai a phan ddymunai ef ei hun.

Nid oedd Gwion erioed wedi medru bwyta'n iawn. Yn aml, aml yn ystod pryd bwyd byddai yn cyfogi. Canlyniad hyn oedd ei fod, i raddau pell, yn ddibynnol ar fwyd llwy. Ni wyddem beth oedd y rheswm am hyn; amheuai Dr Miles mai rhwystr seicolegol o ryw fath oedd yn bod ond 'roedd Mary ynn bur bendant fod rhywbeth arall o'i le. Yn y diwedd, pan oedd yn chwech oed, aed ag ef i Ysbyty Alder Hey, Lerpwl, lle darganfuwyd bod ganddo *Haiatus hernia*. Am flwyddyn buom yn mynd ag ef yn ôl a blaen bob mis i'r ysbyty, a Mary, ar gais y staff, ym mynd gydag ef i'r theatr ac aros tra rhoddid ef i gysgu cyn gosod tiwb i lawr ei wddf i ymestyn y sefnig *(oesophagus)*. Bob tro ar ôl y driniaeth gallai fwyta am ryw bythefnos.

Mr Rickham, Iddew Awstraidd o dras, oedd y llawfeddyg, yr unig lawfeddyg heb fod yn Americanwr a anrhydeddwyd â'r *American Gold Medal for Surgery*. Galwodd ni ato ar un o'r ymweliadau hyn a dywedodd na allai barhau i geisio ymestyn y sefnig gan fod perygl y byddai'n ei rwygo. Cynigiodd wneud llawdriniaeth nad oedd wedi ymgymryd â hi o'r blaen sef defnyddio darn o berfeddyn Gwion i roi *oesophagus* newydd iddo.

Ychwanegodd ei fod yn sylweddoli faint a olygai Gwion

i ni a dywedodd mai hanner cant y cant o obaith oedd ganddo y buasai'r driniaeth yn llwyddiant. Pe na bai'n llwyddiant fe gollem Gwion. Cawsom fis o amser i ystyried a phe baem yn penderfynu derbyn y cynnig byddai'n rhaid i ni aros yn yr ysbyty ar hyd yr adeg i ofalu am Gwion cyn ac ar ôl y driniaeth.

Buom mewn cyfyng gyngor enbyd. 'Roedd Gwion yn fyw ac fe allem, yn siŵr, ei gadw'n fyw ar hylif am ryw hyd. Teimlwn fod gorfod gwneud dewis fel hyn yn ormod i unrhyw feidrolyn. 'Roeddwn yn ffrindiau mawr hefo'r diweddar Barchedig Gwilym O. Roberts, a daeth ef atom i sgwrsio am ein problemau. 'Rhaid i chi wneud y penderfyniad,' meddai. 'Y cwbl fedra i ei ddweud ydi y gwn i y gwnewch chi'r penderfyniad iawn, beth bynnag fydd o, ac mae gen i eisiau i chi gofio bob amser ei fod o wedi bod y penderfyniad iawn, beth bynnag a ddigwydd. Lles y bachgen ydi'r unig ffactor sy'n cyfrif gynnoch chi ac mae hynny'n golygu y bydd eich penderfyniad chi'n iawn, a pheidiwch byth â gweld bai arnoch eich hunain pe byddai pethau'n troi allan yn groes i'r disgwyl.' Fe lwyddodd Gwilym i roi imi'r tawelwch hwnnw y soniai gymaint amdano. Penderfynwyd mynd ymlaen â'r driniaeth.

Bu Mary yn yr ysbyty am wythnos hefo Gwion yn ei baratoi ac euthum innau yno yn barod at y bore Llun. Cymerodd y driniaeth yn agos i wyth awr ac nid anghofiaf byth yr ofn enbyd a deimlais pan welais Gwion yn cael ei hebrwng o'r theatr mewn pabell ocsigen, gyda pheipiau yn ymestyn i wahanol rannau o'i gorff a pheiriant wrth ei ochr i gadw'r ysgyfaint ar waith.

Dywedais eisoes na allaf dderbyn hanesion am

weithredoedd annaturiol ond nid yw hynny'n gyfystyr â pheidio â chredu bod gan bobl gyneddfau sydd heb eu datblygu, ac na ŵyr neb hyd yma beth sy'n bosibl ei gyflawni trwy rym y meddwl. Rhyw awr ar ôl darfod y llawdriniaeth gwaelodd Gwion a gwelais Mary, am y tro cyntaf, yn torri ei chalon. Rhoddais fy llaw i mewn yn y babell ocsigen a gafael yn ei law, a gwyddwn yr adeg honno, a gwn hyd heddiw, fod grym wedi mynd ohonof i'w gorff ef yn y munud ofnadwy hwnnw. Gwellhaodd. Diwrnod Cyfarfodydd Diolchgarwch oedd hi yn y Waun ac, fel y dywedodd mam, ni bu neb yn cymryd rhan y diwrnod hwnnw na chyfeiriodd atom fel teulu yn ein gofid — y Duwdod ar waith.

Dros gyfnod o tua phymtheng mlynedd bu nifer ohonom yn gweithio'n ddygn i geisio chwyddo'r ymwybyddiaeth gyhoeddus o hawliau'r rhai â nam arnynt. Cynhaliwyd pob math o weithgareddau codi arian: cyngherddau, sioeau ffasiwn, cymanfaoedd canu, raffls wrth y dwsinau, casglu o dŷ i dŷ, gwerthu fflagiau, ffeiriau sborion a nosweithiau coffi. 'Roedd pobl yn hael ac yn gefnogol a chasglwyd miloedd ar filoedd o bunnoedd. Yn y Waun 'roedd cefnogaeth arbennig i'r nosweithiau achlysurol a sefydlwyd ac, ar y cychwyn, a drefnid gan Mary. 'Roeddynt yn llwyddiant ysgubol.

Nid hel arian oedd yr unig weithgaredd yr oeddym ynghlwm wrtho. Byddwn allan beunydd yn rhywle neu'i gilydd yn siarad am yr angen i wella safle pobl anabl mewn cymdeithas. Byddai gennym babell ar faes yr Eisteddfod Genedlaethol a threfnid Cynhadledd Flynyddol gan Gymdeithasau'r Gogledd. Yr oeddym mor uchelgeisiol fel ag i wahodd siaradwyr o wledydd Llychlyn! Yn y

Gynhadledd a drefnwyd ym Mangor Syr Ben Bowen Thomas oedd yn llywyddu ac 'roedd pobl flaenllaw a dylanwadol iawn yn y gynulleidfa. Heb amheuaeth fe lwyddwyd i ddod â'r broblem i olau dydd a chael y cyhoedd i sylweddoli fod problem yn bod.

Sefydlwyd clybiau gyda'r nos i roi cyfle i bobl anabl gael mwynhau eu hunain a chynhelid y cyfarfodydd mewn gwahanol ystafelloedd ym Mangor a Chaernarfon. 'Roedd cydweithrediad da rhwng aelodau'r Gymdeithas a'r Ysgol a bu'r brifathrawes yn gefn mawr i'r gweithrediadau. Mae llwyddiant Ysgol Pendalar yn dystiolaeth i'w hymroddiad.

Bûm yn annerch dwsinau, onid cannoedd, o gyfarfodydd yn galw am well gwasanaethau. Ar ôl ennill y frwydr i gael Ysgol Pendalar a Chanolfan Hyfforddi Segontiwm fy mrwydr nesaf oedd ceisio cael Hosteli o fewn y gymuned fel y gallai pobl megis Gwion sefydlu eu hunain mewn rhyw fath o ail-gartrefi o fewn cyrraedd eu rhieni ac yn ystod oes eu rhieni.

Gwneuthum ddefnydd helaeth o'r sefyllfa yn Ysbyty Ely, Caerdydd pan ddeallwyd fod nyrsys wedi bod yn cam-drin pobl â nam meddwl o dan eu gofal. Fy mhregeth oedd na fynnwn i Gwion fynd i le felly pan na fyddwn i yn abl i edrych ar ei ôl, a bod arnaf eisiau tawelwch meddwl o wybod na fyddai hynny'n digwydd. Cofiaf annerch criw o fyfyrwyr o Ogledd Lloegr mewn cyfarfod yn y Fflint ac, ar ôl i mi wneud y pwynt a dweud, *'I don't want my son to be faced with that prospect. I want to know now that he will be cared for near his home in a properly run Hostel,'* gofynnodd un o'r myfyrwyr imi, *'But what does he want, Mr Davies?'* Aeth yr ergyd adref a sylweddolais mai hunanol oedd fy ymdrechion wedi bod ac mai ymladd am dawelwch meddwl i mi fy hun yr oeddwn yn hytrach na meddwl am ddeisyfiadau Gwion.

Dyna'r ail garreg filltir yn fy hanes.

Trefnwyd Cynhadledd yn Nulyn yn 1971 gyda siaradwyr blaenllaw'r byd ym maes nam meddwl yno a phob gwlad yn cael ei chynrychioli. Trafodem yr hawl sydd gan bobl â nam meddwl i gael eu derbyn gan y gymdeithas. 'Roedd yn amlwg fod darpariaethau gwledydd Llychlyn ymhell ar y blaen ac fe gafodd un siaradwr argraff ddofn arnaf. Yn hytrach na thrafod hawliau pobl â nam pwysleisiodd eu bod yn rhan o gymdeithas a bod ganddynt eu cyfraniad i'w wneud fel pawb arall. Wrth derfynu ei araith dywedodd, 'We are able to send people to the moon, and computers are taking over, yet there is great unhappiness in the world today. Do you not realise that we need these people amongst us to de-intellectualise and de-sophisticate the remainder of us. In the final analysis, we will find that we need them more than they need us.'

Cafodd ei ddadansoddiad o'r sefyllfa effaith ddofn arnaf; yn bennaf, efallai, am ei fod yn rhoi geiriau i'm teimladau i. 'Roedd Gwion wedi dwyn llawer mwy i'm bywyd i ac wedi llwyddo i newid fy mhersonoliaeth i raddau llawer mwy nag y gallwn i byth effeithio ar ei fywyd ef.

Dechreuais bendroni ynghylch yr haeriad nad mynnu hawliau ond yn hytrach hyrwyddo'r ffordd i bobl â nam gymryd cyfrifoldeb oedd y ffordd ymlaen. Sylweddolais mai dyna'n union oedd fy athroniaeth yn y maes gwleidyddol a sylweddolais hefyd fod yn rhaid i mi ailystyried o ddifrif a oedd fy holl ymdrech i sicrhau gwasanaethau arbenigol i blant a phobl â nam meddwl wedi bod y ffordd gywir i symud ymlaen. Tybed a oedd hyn yn eu hynysu oddi wrth fywyd naturiol? Os oedd y siaradwr yn iawn, a bod ganddynt gyfraniad i'w wneud i weddill y gymdeithas, 'roeddym yn gwneud cam â gweddill y gymuned wrth barhau i'w haddysgu, eu hyfforddi a pharatoi hosteli iddynt i fyw ar wahân.

Dyna'r drydedd garreg filltir, a'r bwysicaf ar fy mhererindod.

Wrth weithio fel un o aelodau gweithgor a sefydlwyd gan yr Ysgrifennydd dros Gymru ar y pryd, Mr Nicholas Edwards, synhwyrwn fod y darnau yn syrthio i'w lle.

. . . fe gyfyd brawd yn erbyn brawd

Ar ôl ethol aelodau'r gweithgor i ystyried dyfodol gwasanaethau ar gyfer pobl â nam ffurfiwyd nifer o is-bwyllgorau ac fe'm cefais fy hun yn un o griw bach oedd i drafod a llunio'r athroniaeth ar gyfer y dyfodol.

Yr Awdurdodau Iechyd sydd â'r gofal am bobl â nam mewn ysbytai, tra mae'r Cynghorau Sir yn gyfrifol am wasanaethau i'r rhai sydd yn y gymuned. Gwyddwn y byddai'r tynnu torch parhaus a fu rhwng y cyrff hyn ynglŷn â gofal am bobl â nam yn ei gwneud yn anodd, onid yn amhosibl, i gael cydweithrediad boddhaol. Yr oedd yn amlwg o'r dechrau fod y gwŷr proffesiynol yn y naill garfan a'r llall yn eiddigeddus iawn o'i gilydd.

Yn bersonol, teimlwn mai'r unig ffordd ymlaen oedd sefydlu adran a fyddai'n annibynnol ar y ddwy garfan — adran a fyddai'n gyfrifol am wasanaethau i bobl yn dioddef o unrhyw fath o anabledd corff neu feddwl. Ar ôl magu digon o hyder, awgrymais ein bod yn symud i'r cyfeiriad hwnnw ond fe'i gwnaed yn amlwg imi nad oedd unrhyw obaith ar hyd y llinellau hynny er bod cytundeb cyffredinol mai dyna a fyddai'n ddelfrydol. Yr hyn a wnâi fy nghynllun yn anymarferol oedd y ffaith na fyddai'r Llywodraeth byth yn fodlon ystyried cael haen arall o fiwrocratiaeth.

Yn ystod fy ngwasanaeth ar y gweithgor y sylweddolais mor anodd ydyw i aelodau heb gefndir proffesiynol yn y maes weithredu'n effeithiol. Gwyddwn fwy am bobl â nam ac yr oedd gennyf fwy o brofiad uniongyrchol yn y maes nag odid neb arall ohonynt, ond am gyfnod fe'i cawn yn anodd darganfod sut i gael fy meini i'r wal. Yn ffodus, 'roedd y gweision sifil a oedd yn gyfrifol am weithrediadau pwyllgorau'r gweithgor yn gynorthwyol tu hwnt. O'm dyddiau gyda'r Cyngor Sir 'roeddwn yn eithaf cybyddus â'r Swyddfa Gymreig ac wedi ymwneud â gweision sifil mewn sawl maes ond y tro hwn oedd y tro cyntaf a'r unig dro i mi weld swyddogion yn gweithredu gyda'r fath frwdfrydedd ac egni nes ei bod yn amlwg eu bod yn deisyfu llwyddiant. Cefais lawer o gwmni Mr David Evans a Mr John Mooney, gwŷr â'u holl galon yn y gwaith, a deuthum yn gyfeillgar iawn â hwy.

Ni chollais un cyfle i bwysleisio mai'r unig ffordd i bobl gael eu derbyn gan gymdeithas yw rhoi cyfle iddynt hwy roi gwasanaeth yn hytrach na hawlio cymorth ac mai yn y cyswllt hwnnw y dylid ystyried dyfodol pobl â nam. Yn ddiddorol iawn, penderfynodd y gweithgor ar y cychwyn na fyddid yn cyfeirio byth mwy at bobl â nam fel *'the mentally handicapped'* ond yn hytrach fel *'people with a mental handicap.'* 'Roedd hyn yn cadarnhau'r ffaith ein bod yn delio â phobl yn hytrach na phroblem. Pobl oeddynt yn gyntaf; eilbeth oedd yr anabledd.

Cadeiriwyd y gweithgor gan Mr Pengelly, gŵr craff iawn ac un hynod o sgilgar. Gwyddai o'r cychwyn i ble'r oedd arno eisiau mynd ac fe lwyddai i gael ei ffordd ei hun bron yn ddieithriad. Ar ôl i ni gytuno ar yr athroniaeth a'r strategaeth, 'roedd arno ef eisiau rhoi cynnig arni trwy sefydlu ardaloedd blaengar lle rhoddid mwy o arian nag i weddill Cymru er mwyn gweld a oedd modd rhoi'r athroniaeth ar waith. Er nad oeddwn yn cytuno, pan sylweddolais fod Mr Pengelly wedi penderfynu mai felly yr oedd pethau i fod penderfynais ymarfer doethineb gan obeithio y byddai Gwynedd yn un o'r ardaloedd a ddewisid i dderbyn yr arian. Yn anffodus, rhan o Wynedd yn unig a ddewiswyd, ffaith a achosodd gryn dipyn o drafferth i bawb.

Ar ôl misoedd o waith caled lluniwyd y strategaeth a'i hymgorffori mewn dogfen: 'Strategaeth Cymru Gyfan i Bobl â Nam Meddwl'. Ystyriwyd y cynllun gan Ysgrifennydd Cymru ac fe gafodd sêl ei fendith: enghraifft brin o Gymru'n cael ei thrafod fel uned ar wahân i Loegr ac yn cael cyfle i weithredu polisi gwahanol. O safbwynt gweinyddol Prydeinig bu'r hyn a ddigwyddodd yn ddigon pwysig i gychwyn cryn drafodaeth yn y maes. Pan wnaed dyfarniad Ysgrifennydd Cymru yn hysbys rhaid i mi gydnabod i mi deimlo fel pe bai'r mil blynyddoedd wedi gwawrio. Ar ôl blynyddoedd ar flynyddoedd o gael eu trin fel dinasyddion eilradd a'u rhieni a'u cyfeillion yn gorfod casglu arian i roi rhyw lun o fywyd iddynt, dyma ni yn awr mewn sefyllfa i daflu'r blwch casglu o'r neilltu. 'Roedd ein plant ni i gael yr un manteision ac ysgwyddo'r un cyfrifoldebau â phawb arall. 'Roedd yr athroniaeth mor syml, mor naturiol, fel y byddai pawb yn ei deall ac yn ei derbyn yn ddigwestiwn.

Pwy allai wadu hawl pob person â nam

    (a) i fywyd normal o fewn y gymdeithas?

    (b) i annibyniaeth fel unigolyn?

    (c) i dderbyn adnoddau i wneud hyn yn ffaith?

Ymddangosai'r cyfan mor syml. Fe ddylai popeth fod yn berffaith ac fe fyddem yn symud ymlaen yn gyflym, yn enwedig o gofio bod arian wedi ei glustnodi i roi'r cwbl ar waith.

Teimlwn ei bod yn rheidrwydd arnaf roi'r wybodaeth i eraill cyn gynted ag yr oedd modd ac felly trefnwyd cynhadledd yn Llanberis ar gyfer holl gymdeithasau lleol MENCAP yng Ngogledd Cymru ond 'roedd Cyfarwyddwr Rhanbarth y Gogledd-orllewin yn ddig anghyffredin a derbyniais lythyr milain yn tynnu sylw at y ffaith ein bod yn parhau yn rhan o'r rhanbarth hwnnw. Tybiaf ei fod yn dechrau sylweddoli nad oedd ei deyrnasiad yn dragwyddol yng Ngogledd Cymru.

Er bod cynulliad sylweddol wedi dod ynghyd a bod siaradwyr cymwys wedi esbonio'r strategaeth teimlwn nad oedd yr ymateb mor frwdfrydig ag y dymunwn iddo fod. Lleisiwyd amheuon ai doeth oedd i ni fel mudiad wanhau ein hymosodiad ar yr awdurdodau statudol trwy gydweithio â hwy. Teimlai eraill nad ein lle ni fel Cymdeithasau MENCAP, a oedd yn cynnwys cyfartaledd uchel iawn o rieni, oedd bod ynghlwm â chyflenwi'r gwasanaethau. Eraill a ddylai fod yn gwneud hynny a ninnau'n cadw golwg arnynt i ofalu eu bod yn gwneud y gwaith yn ôl ein dymuniadau ni. 'Roedd yn amlwg hefyd, o'r munud cyntaf, fod y sôn am roi annibyniaeth i'n plant yn mynd i greu cythrwfl.

Cyn diwedd y prynhawn synhwyrwn nad oeddym, fel rhieni, yn barod i dderbyn athroniaeth radical a gyfeiriai at nod gwahanol iawn i'r un yr oeddym wedi ymgyrraedd ato am gynifer o flynyddoedd. Y peth i'w wneud oedd rhoi'r arian i'r Gwasanaeth Cymdeithasol a gadael i'r rhai a feddai'r profiad wneud y gwaith o baratoi mwy a gwell cyfleusterau yn ôl y patrwm a sefydlwyd eisoes. Yn wir, onid oedd yn beth rhagorol iawn fod ein plant ni yn cael y fath arbenigrwydd? Pa reswm yn y byd oedd yna dros gondemnio'r canolfannau hyfforddi a'r hosteli? Onid mwy ohonynt, a rhai gwell, oedd ein hangen?

Gadewais y cyfarfod hwnnw yn isel iawn fy ysbryd ond yn barod i drafod ymhellach mewn cyfarfod a oedd wedi'i drefnu gan Gymdeithas MENCAP Caernarfon gyda'r nos.

Cyfeiriais ynghynt fod Cymdeithas MENCAP Caernarfon yn cefnogi'r ymdrech i adael Rhanbarth y Gogledd-orllewin a sefydlu rhanbarth annibynnol dros Gymru. 'Roedd hefyd wedi cefnogi rhoddi pwysau ar Ysgrifennydd Cymru i wella'r gwasanaethau. Felly, teimlwn yn hyderus y byddem ni fel Cymdeithas yn symud ymlaen i dderbyn athroniaeth y strategaeth ac yn manteisio ar y cyfle a'r arian i ddangos beth y gellid ei wneud.

Wedi'r cwbl, yr oedd angen dybryd am gynlluniau a fyddai'n rhoi gwell cartref na hosteli i'n plant, ac onid oedd yn hen bryd paratoi cynllun a fyddai'n rhoi cyfle i bobl â nam wasanaethu yn hytrach na chael gofal parhaus a oedd, wedi'r cwbl, yn tanlinellu'r ffaith nad oeddynt yn bobl mewn gwirionedd? 'Roedd pawb yn gyfeillgar iawn ac yn dymuno symud ymlaen ond yn gweld rhwystrau ym mhob man.

Credaf hefyd fod peth o'r ddrwgdybiaeth yn deillio o'r gred y gallai datblygu o'r tu allan i'r Awdurdodau statudol fod yn gam tuag at danseilio'r egwyddor o wasanaeth cyhoeddus, a'i fod, efallai, yn debygol o arwain at breifateiddio'r gwasanaeth.

Credwn innau fod y gwasanaethau cyhoeddus wedi cael eu cyfle ac wedi methu mewn rhai cyfeiriadau, yn arbennig ym maes cartrefu a pharatoi gwaith. O'm profiad mewn llywodraeth leol gwyddwn ei bod bron yn amhosibl i Gyngor roi arweiniad ynglŷn â gweithredu athroniaeth newydd. Mae holl strwythur gwasanaeth pob Cyngor yn anelu at ddiogelwch, hynny yw, mewn geiriau eraill, chwarae'n saff.

Daeth yn amlwg nad oedd fy nghyd-rieni yn barod i rannu fy athroniaeth ond 'roedd sylweddoli hynny yn dipyn o sioc.

'Pam mae'n rhaid i ti fod yn wahanol i bawb?' Dyna'r cwestiwn mae Mary wedi'i ofyn ganwaith os unwaith yn ystod y blynyddoedd. Fel pob rhiant arall sydd â phlentyn â nam arno, 'rwy'n ymwybodol o'r rhwymyn sy'n fy nghysylltu â rhieni eraill yn yr un sefyllfa. Nid fy mod bob amser yn ffrindiau â hwy ond, o leiaf, mae'r rhwymyn yn bod. Ond eto, dyma fi yn erbyn y wal ac nid oherwydd gwleidyddiaeth na chrefydd y tro hwn. Tybed? Efallai, yn y gwraidd, bod fy agwedd at ddyfodol gwasanaethau i blant a phobl â nam meddwl yr un â'm hagwedd mewn meysydd eraill. Efallai mai'r un egwyddor sydd y tu ôl i'm cred fod rhaid i Gymru ymgymryd â'r cyfrifoldeb o reoli ei bywyd ei hun â'r gred fod rhaid i bawb, fel unigolion, reoli eu bywydau eu hunain os am ddatblygu fel pobl.

Clywais lawer tro rieni plant â nam arnynt yn ateb yn ffyrnig, 'Fedr fy mhlentyn i byth fod yn annibynnol,' yr un modd ag y clywais Gymry'n dweud, 'Fedrwn ni fel cenedl fach ddim fforddio bod yn annibynnol.' Gwaetha'r modd, mae'r gosodiadau hyn yn deillio o'r anhawster i sylweddoli bod gwahaniaeth sylfaenol rhwng 'annibyniaeth' a 'hunan-ddibyniaeth' ac, yn bwysicach byth, bod pobl yn methu ag amgyffred y ffaith nad yw'n bosibl bod yn 'gyd-ddibynnol' heb, yn gyntaf, fod yn annibynnol.

Gwn mai delfrydiaeth yw dweud mai gwasanaethu eraill yw'r nod a gwn mor hunanol wyf fi fy hun er gwaethaf yr hyn a ddywedaf, ond gwn hefyd fod dyfodol dynolryw, os oes dyfodol o gwbl, yn rhwym wrth y ddelfryd honno.

'Roeddwn yn benderfynol o brofi bod athroniaeth y strategaeth yn gywir, a bod modd ei gweithredu. Gwyddwn hefyd y gellid paratoi cynllun a fyddai yn unol â'r athroniaeth ac yn un y gallai'r Swyddfa Gymreig ei gyllido allan o'r arian a glustnodwyd i hyrwyddo datblygiadau o'r fath.

Y diwrnod hwnnw sylweddolais, er mawr ofid, nad oedd gennyf obaith o gael cydweithrediad Cymdeithasau'r rhieni ac y gallai olygu blynyddoedd cyn y byddent yn derbyn yr athroniaeth. Ni welwn fai o gwbl arnynt ac, o edrych yn ôl, sut y gallwn ddisgwyl i bobl a weithiodd mor galed i gael cyfleusterau i'w plant dderbyn credo newydd a seiliwyd ar athroniaeth a oedd, i bob pwrpas, yn awgrymu bod y cyfan a wnaed yn y gorffennol yn gwbl ddiwerth.

Unwaith eto cefais y teimlad o unigrwydd ond credwn mor angerddol fod yr athroniaeth yn gywir a'i bod yn rhoi cyfle i ryddhau pobl anabl o hualau gwarchodaeth anneallus y gorffennol fel y gwyddwn y byddai'n rhaid, rywsut neu'i gilydd, brofi mai dyma'r ffordd ymlaen.

Anturiaf ymlaen . . .

Yn wahanol i'r rhelyw o Gymdeithasau lleol MENCAP, lle 'roedd yr aelodau bron gant y cant yn rhieni plant â nam, yng Nghymdeithas Caernarfon a'r cylch mae'n debyg bod nifer yr aelodau heb gysylltiad uniongyrchol â phlant neu bobl â nam yn uwch nag mewn unrhyw Gymdeithas leol arall. Ni wn pam ond, yn sicr, cyn belled ag yr oeddwn i'n bod yr oedd yn sefyllfa dderbyniol iawn. Credwn y gallai aelodau nad oedd yn rhieni i blant â nam fod yn fwy gwrthrychol ac annibynnol ac y gallent fod fel lefain yn y blawd i rwystro'r gweddill ohonom rhag bod mor fewnblyg.

Erbyn hyn nid wyf yn hollol siŵr a yw hynny'n wir. Efallai bod yr aelodau 'annibynnol' yn tueddu i fod yn swil ac yn gyndyn o fynd yn groes i farn y rhieni, nes eu bod, maes o law, yn tueddu i fynd yr un mor amddiffynnol yn eu hymwneud â phobl â nam.

Ffurfiwyd y Cymdeithasau lleol yn y lle cyntaf i frwydro am hawliau i blant a phobl â nam meddwl yn ogystal â'u rhieni, ac fe wnaethant hynny. Oherwydd arafwch y datblygiadau ac amharodrwydd yr Awdurdodau Statudol i gyflenwi'r angenrheidiau ar gyfer sefydlu gwasanaeth newydd teimlem ni, fel rhieni, na allem adael i'n plant fod heb offer yn yr ysgol.

Daeth hel arian i'r pwrpas hwnnw yn rhan bwysig o'n gwaith ac, ynghlwm wrth hynny, ariannu gwyliau a thalu am ragorfreintiau nas rhoddid i blant a phobl heb fod yn anabl. A'i roi yn blaen, 'roedd ein plant ni, beth bynnag oedd sefyllfa ariannol y rhieni, yn cael moethau heb dalu amdanynt. Cofier, mae ochr hynod o bositif i hyn: 'roedd pobl yn dymuno dangos eu cydymdeimlad ac 'roedd eu cefnogaeth yn brawf o garedigrwydd cynhenid yr hil ddynol. Yn anffodus, mae caredigrwydd a thosturi yn perthyn yn agos iawn i'w gilydd ac fe all tosturi fod yn ddamniol pan estynnir ef yn yr amgylchiadau anghywir.

Pan oedd trafodaethau ynglŷn â Strategaeth i Gymru yn mynd rhagddynt 'roedd ysgrifennydd Cymdeithas Caernarfon yn un o'r aelodau nad oedd ganddi blentyn â nam. Yn ffodus i ni yn Waunfawr, mae Mrs Pat Parry wedi ei geni heb un gewyn diog ac ni ŵyr neb sut y mae'n llwyddo i ddod i ben â'r holl waith a bentyrrir arni. Pan sylweddolodd nad oedd Cymdeithas Caernarfon yn aeddfed i fanteisio ar bosibiliadau'r datblygu yr oedd y Strategaeth yn ei gynnig, awgrymodd y gallem ni yn Waunfawr wneud rhywbeth fel ardal. Sylweddolais yn syth ei bod wedi lleisio fy nheimladau a'm gobeithion i a dechreuais bendroni uwchben yr hyn a allasai fod yn bosibl.

I fod yn annibynnol rhaid wrth gartref a gwaith. Daethwn i gredu mai cam â pherson â nam, fel pob person arall, oedd ei gadw'n rhwym wrth linyn barclod ei fam ar ôl pasio'r arddegau neu'r ugeiniau cynnar. Eto, y patrwm arferol oedd i bobl â nam aros gyda'u rhieni hyd nes bod amgylchiadau megis afiechyd neu henaint yn gorfodi newid y drefn. Y ddelfryd yn ôl y Strategaeth, wrth amcanu at batrwm normal o fyw, fyddai cael cartrefi yn y gymdeithas lle gallai person anabl fyw yn annibynnol ar ei rieni. Tai cyffredin fyddai'r cartrefi hyn, heb fod â mwy na rhyw dri neu bedwar yn byw ynddynt.

152

'Roeddwn yn ymwybodol iawn o'r sefyllfa hollol annerbyniol ar lawer aelwyd lle 'roedd rhieni yn eu saithdegau yn parhau i ofalu am blentyn hanner cant oed a'r sefyllfa gwbl annaturiol honno yn llesteirio datblygiad y plentyn ac yn rhoi straen corfforol a meddyliol ar y rhieni. Felly, byddai'n rhaid ceisio creu sefyllfa lle gallai pobl â nam fyw yn annibynnol.

Er pan gaeodd y chwareli, bach iawn yw'r gobaith o gael gwaith yn y Waun nac, yn wir, yn y cyffiniau, ac i rywun â nam arno mae'r sefyllfa'n gwbl anobeithiol. Awgrymodd un o Weinidogion y Llywodraeth rai blynyddoedd yn ôl mai'r cwrs y dylai pobl sy'n byw mewn ardaloedd tebyg ei gymryd yw *'get on your bikes.'* Gwaetha'r modd, nid yw'n hawdd i bobl anabl ddilyn ei gyngor.

Yn dilyn Deddf Iechyd Meddwl 1959 sefydlodd y Cynghorau Sir Ganolfannau Hyfforddi ar gyfer pobl â nam meddwl. Gan nad oedd modd cael gwaith ar ôl yr hyfforddiant nid oedd y canolfannau hyn, yn aml iawn, ddim amgen na lle i bobl wneud swyddi hollol ddibwrpas tra'n cael gofal. Felly, dylid gofalu bod personau â nam yn gwneud gwaith o fudd a phwrpas.

Fodd bynnag, yr oedd elfen arall i'w hystyried, elfen bwysicach o lawer na chartrefu a chael gwaith i bobl â nam. Os mai'r amcan oedd rhoi bywyd mor normal ag yr oedd modd i rai â nam o fewn y gymdeithas yr oedd yn hanfodol, yn y lle cyntaf, ystyried y gymdeithas ei hun fel cyfangorff cyn ystyried lle'r rhai â nam o fewn y gymdeithas honno.

Er mai diben yr arian a neilltuwyd dan y Strategaeth oedd hybu gwasanaeth i un garfan o gymdeithas ni allwn weld sut 'roedd modd rhoi'r egwyddor ar waith ac eithrio yng nghyd-destun rhoi gwasanaeth i'r gymuned ei hun fel cyfangorff. Yn syml, dylai unrhyw gynllun amcanu at wneud y Waun yn well lle i fyw ynddo. Byddai gwella bywyd y rhai â nam arnynt yn rhan o hynny ond eilbeth a fyddai i'r egwyddor mai'r ardal a'i lles cyffredinol a gâi'r flaenoriaeth.

Ein cwyn fawr, fel rhieni, oedd bod y gymdeithas yn gwrthod derbyn ein plant. 'Roedd pawb yn fodlon tosturio ac 'roeddym ninnau wedi begera'n llwyddiannus ar eu rhan ers blynyddoedd. Bellach, sylweddolwn mai trwy roi gwasanaeth i eraill yr oedd gobaith i unrhyw un gael ei dderbyn ac nid trwy fynd ar ofyn pobl i ymbil am help byth a beunydd. Os gallem sefydlu cynllun yn unol â'r Strategaeth yn y Waun byddai'r cynllun hwnnw yn rhoi cyfle i bobl â nam weithio er lles y gymuned. Byddai'n gynllun a roddai'r hawl i bobl â nam gael eu derbyn a chael parch fel unigolion oherwydd eu bod yn gwasanaethu eraill er gwaethaf unrhyw nam yn hytrach na chael tosturi o'i herwydd.

Prynodd MENCAP hen blasdy ger Rhuddlan flynyddoedd yn ôl — 'Pengwern Hall'. Am gyfnod bu'n lle i roi gwyliau i blant â nam ac yna cafodd ei ddatblygu yn lle i ddysgu pobl ieuanc â nam arnynt i ymdopi trwy geisio dysgu crefftau buddiol iddynt. O Loegr y deuai'r mwyafrif llethol onid y cyfan o'r disgyblion.

Yn ffodus iawn, 'roedd Mr Martin Weinberg, y Cyfarwyddwr, yn ŵr o weledigaeth, ac yn lle ceisio dysgu pobl â nam yn y dull traddodiadol, a'u gwarchod, penderfynodd ddilyn llwybr a oedd yn gwbl newydd ar y pryd. Yn hytrach na chyflogi staff a oedd yn gyfarwydd â maes nam meddwl cyflogodd grefftwyr a rhoddodd y disgyblion ar waith i droi hen adeiladau a berthynai i'r Plas, megis beudái ac yn y blaen, yn dai i bobl fyw ynddynt. Ar ôl cwblhau'r tai 'roedd y disgyblion yn byw ynddynt. Cafodd ei waith ym Mhengwern sylw mawr.

'Roedd Mr Martin Weinberg yn un o aelodau'r gweithgor fu'n gyfrifol am Strategaeth Cymru a deuthum i gysylltiad agos ag ef. Gwelwn yn yr hyn a gyflawnodd ef ym Mhengwern sylfaen i ddatblygiad tebyg yn Waunfawr. Byddai gwahaniaethau mawr wrth gwrs. Yn un peth, nid oedd arnaf i eisiau bod ynghlwm wrth ddatblygiad addysgol, a byddai unrhyw gynllun yn Waunfawr yn bod er lles y pentref, a phobl y cylch fyddai ynglŷn ag ef. Ond heb os, yr oedd Pengwern wedi gosod patrwm. Yn fwy na hynny, gwnaeth i mi sylweddoli nad ar hyd llwybrau traddodiadol y dylid datblygu.

Mae pawb ohonom yn dymuno i'n plant wneud yn dda a chael dyfodol gwell nag a gawsom ni. Er bod rhieni plant â nam meddwl yn sylweddoli na all eu plant gystadlu â rhai heb nam, eto, yn hollol naturiol, mae arnynt eisiau'r swyddi gorau y gall eu plant ymdopi â hwy. Yr awydd yna sydd wrth wraidd yr ymdrechion rhyfeddol a wneir i ddysgu a hyfforddi pobl â nam meddwl am ran helaeth o'u bywydau.

Yn aml, ofnaf nad yw llawer o'r hyfforddiant yn ddim amgen na rhywbeth i lenwi amser ym mywyd yr unigolyn ac yn help i'r rhieni deimlo bod eu plentyn yn cael y cyfle gorau. Yn anffodus, ofnaf na chaiff yr wybodaeth ychwanegol fyth ei rhoi ar waith yn y byd sydd ohoni.

Fel un a fu'n gwneud gwaith corfforol ac wedi arfer maeddu fy nwylo, a chael pleser wrth wneud, ofnaf nad oes gennyf fawr o gydymdeimlad â'r rhieni hynny sy'n gosod eu golygon mor uchel fel na thybiant ei bod yn weddus i'w plant wneud gwaith a ystyriant hwy yn waith israddol.

Pa ddatblygiad bynnag y gallem ni yn y Waun roi cychwyn iddo, gan roi gwaith i bobl â nam, fe wyddwn mai gwaith heb angen sgiliau manwl a fyddai ac mai am weithwyr heb fod ag ofn maeddu eu dwylo y byddem yn chwilio.

Fel y dywedodd y ffermwr hwnnw wrth y gwas a ofynnodd iddo ymhle yn y cae y dylai ddechrau hel cerrig, 'Dechra wrth dy draed, 'y ngwas i,' Felly finnau.

Ar ôl marw fy ewythr caewyd siop Bryn Pistyll ond arhosodd yr adeiladau ym mherchnogaeth fy mam, heb eu defnyddio o gwbl, hyd nes y bu farw yn 1978. Cafodd fy mrawd a minnau gryn drafferth i werthu'r lle, a oedd erbyn hyn yn prysur ddadfeilio, a £5,000 oedd y cwbl a gawsom amdano gan ryw ŵr o'r gororau. Ni wnaeth ef unrhyw ddefnydd o'r lle a pharhaodd y dadfeilio i'r graddau ei fod yn ddolur llygad yn yr ardal.

Pe bai modd prynu'r adeiladau yn ôl, tybed a fyddai gobaith eu hailadeiladu a dod â bywyd newydd i hen bentref Bryn Pistyll? 'Roeddynt wedi eu codi cyn 1740 ond cafodd y siop ail lawr rhyw dro yn y bedwaredd ganrif ar bymtheg. Rhaid cydnabod bod elfen o sentiment yn y syniad o weld hen gartref y teulu yn cael ei ailddiddosi. Am ryw reswm 'roeddwn wedi cymryd yn fy mhen y byddai'r perchennog yn barod iawn i'w werthu yn ôl.

Wedi bod yn aelod o'r gweithgor yr oedd gennyf syniad eithaf da beth fyddai'r Swyddfa Gymreig yn fodlon ei ariannu dan gynlluniau'r Strategaeth ac euthum ati i lunio cais. Y cynllun a awgrymwyd oedd prynu hen bentref Bryn Pistyll ac ailadeiladu'r adfeilion i fod yn fythynnod ac yn siop, gan ddefnyddio llafur pobl â nam ynghyd â gweithwyr heb nam. Maes o law byddai'r siop yn cael ei hailagor a byddai pobl â nam yn byw yn y bythynnod.

Gerllaw 'roedd tir a oedd yn eiddo i mi ac, fel rhan o'r cynllun, fe fyddid yn trin y tir i'w wneud yn addas at bwrpas gardd farchnad a chadw anifeiliaid.

Carreg sylfaen yr holl gynllun oedd y byddai gweithgor ar gael a fyddai at wasanaeth y gymuned leol a chyfeiriwyd yn arbennig at yr henoed a'r anabl a allasai fanteisio ar wasanaeth o'r fath.

Anfonais fras gynllun o'r hyn a arfaethid at gyfaill yn y Swyddfa Gymreig gan ofyn am ei farn. Tybiai ef fod y syniad yn ddelfrydol ond y byddai rhaid i mi roi amcangyfrif o'r gost, ac yna ei gyflwyno yn ffurfiol. Nid oedd gennyf y syniad lleiaf sut i wneud hyn ond, fel y gŵr yn hysbyseb yr AA, *'I know a man who knows'*, ac ni bûm erioed yn swil o ofyn i bobl am gymorth. Ysgrifennais at Martin Weinberg ac 'roedd wrth ei fodd yn cael rhoi help llaw. Daeth i'm gweld ac i weld y murddunod a thybiai yntau fod y cynllun yn sicr o gael sêl bendith y Swyddfa Gymreig. Gwnaeth amcangyfrif o gostau'r cynllun.

Hyd yma 'roeddwn wedi bod yn gweithio ar y syniad gwreiddiol fwy neu lai ar fy mhen fy hun. Fodd bynnag, teimlwn yn awr y dylwn ddatgelu i rai o bobl yr ardal beth oeddwn ar fedr ei wneud. Ar y naill law 'roedd arnaf eisiau cael rhyw syniad a fyddai'r cynllun yn dderbyniol yn yr ardal ac, ar y llaw arall, gwyddwn y byddai'n haws imi berswadio'r Swyddfa Gymreig i roi arian pe gallwn ddangos nad 'sioe un dyn' ydoedd.

Datgelais y cynllun i'r meddygon lleol, i brifathro'r ysgol leol, i gadeirydd y Cyngor Plwyf, i'r aelod lleol ar y Cyngor Dosbarth, y ddau Ynad Heddwch lleol ac i Mr T. E. Jones, cyn-Gyfarwyddwr Gwasanaethau Cymdeithasol y Sir. Wedi cael sêl eu bendith anfonais y cynllun i Gaerdydd gan nodi bod pobl flaenllaw yr ardal yn cymeradwyo'r bwriad.

Yn fuan iawn cefais wybod yn answyddogol y byddai'r cais yn debyg o fod yn llwyddiannus. Fodd bynnag, yn wyneb y gwrthwynebiad a ddangoswyd mewn sawl pentref a thref i'r bwriad o gartrefu pobl â nam yn y gymuned, fe'm cynghorwyd i beidio â datgelu i'r pentrefwyr yn gyffredinol beth oedd yn yr arfaeth. Nid oedd y cyngor hwn at fy nant o gwbl. Ni fynnwn fod ynglŷn â datblygiad a fyddai'n effeithio ar yr ardal heb i'r pentrefwyr gael gwybod ymlaen llaw beth oedd ar droed. Fel y nodais, 'roeddwn eisoes wedi rhoi gwybod i rai yn yr ardal beth oeddwn yn ei wneud. Un ohonynt oedd Mr Robert Jones, Ynad Heddwch, a Brocer Yswiriant wrth ei alwedigaeth. Yr oedd ef wedi dangos diddordeb mawr ac wedi dweud yr hoffai gydweithredu i'w wneud yn llwyddiant. Trafodais y sefyllfa gydag ef a Mrs Pat Parry a phenderfynwyd galw cyfarfod cyhoeddus i roi gwybod i bawb beth oedd y bwriad.

Cytunwyd y byddem yn rhoi'r cyhoeddusrwydd mwyaf posibl i'r cynllun trwy hysbysebu yn y wasg, ar y radio a thrwy ddosbarthu rhybudd dwyieithog i bob tŷ yn yr ardal. Addawodd Rob fod yn gyfrifol am y dasg olaf hon, a throsglwyddodd lawer o'r baich ar ei ddau blentyn, Huw a Nan! Hysbyswyd y Swyddfa Gymreig am y trefniadau a chefais wybod y byddai Mr John Mooney yn bresennol yn y cyfarfod.

'Roedd y tywydd ym Mehefin 1983 yn hyfryd ac wrth roi rhybudd am y cyfarfod a oedd i'w gynnal yn Festri'r Capel dywedwyd y byddai te a theisen gri i bawb ac, os byddai'r tywydd yn ffafriol, y byddai croeso ychwanegol ar ôl y cyfarfod ar lawnt Bryn Eithin! Gwyddai pobl y Waun fy mod yn gallu gwneud defnydd o fwyar duon i bwrpas amgenach na theisen neu stiw! Mae llawer sgil o gael Wil i'w wely, meddan nhw. Yr oeddwn wedi trafod y cynllun gyda digon o bobl cyn noson y cyfarfod i fod yn sicr y byddai unrhyw wrthwynebiad yn syrthio ar dir garw ond gwyddwn hefyd fod estyn croeso yn debyg o fod o help.

'Roedd tua chant o bobl yn bresennol ac amlinellwyd y cynllun yn bur fanwl. Eglurais mai'r peth diwethaf a fynnwn fyddai gweld y Waun yn mynd yn *ghetto* i bobl â nam, ac na fynnwn ar unrhyw gyfrif weld mwy nag un o bob cant o bobl â nam arnynt yn byw yn yr ardal. Pwysleisiwyd fod arian ar gael at bwrpas datblygu'r cynlluniau ac y gallai'r Waun fanteisio ar yr arian gan y byddai gwaith ar gael i bobl heb fod â nam arnynt. Gofynnwyd nifer o gwestiynau ond nid oedd yr un o'r cwestiynau hynny yn un â bach wrtho. Yn wir, yr oedd awyrgylch hyfryd yn y cyfarfod. Cyn y diwedd, etholwyd dau ar hugain o'r rhai oedd yn bresennol i ffurfio pwyllgor i roi pethau ar droed.

Ar ôl y cyfarfod daeth nifer sylweddol i ardd Bryn Eithin

a bu Mr John Mooney wrthi'n ddeheuig a hael iawn yn rhannu gwin mwyar duon; bore drannoeth tystiai amryw ei fod wedi bod yn rhy hael! Bu'n noson i'w chofio, ac yn un o nosweithiau hapusaf fy mywyd.

R. O. Jones, fy nhaid, ac Elen Jones, fy nain, gyda fy hen nain, Jane Jones (yn eistedd). Y Parchg O. H. Jones, Llanilar sydd ar y chwith yn y cefn, a'm mam, J. Eunice Davies wrth ei ochr. Fy ewythr, W. H. Jones sydd yn y blaen ar y chwith, a J. Eryri Jones, tad Doris, gyferbyn ag ef ar y dde.

Taid a nain, David a Rosa Davies gyda fy nhad ac Amy ei chwaer, mam Albert.

Glanfa.

Capel Waunfawr.

Siop Bryn Pistyll cyn troad y ganrif.

Trol Siop Bryn Pistyll ar ei ffordd o Gaernarfon gyda llwyth.

Established over 80 years.

OUR TEAS ARE PURE

Y DDRAIG GOCH A DDYRY GYCHWYN

R. O. JONES & SON.,

FAMILY GROCERS,

PROVISION & FLOUR DEALERS, &c,,

WAENFAWR.

TY GWYN,
WAENFAWR, Carnarvon.

192

M

Dr. to E. DAVIES,

PEDIGREE UTILITY POULTRY,

WHITE WYANDOTTES, WHITE LEGHORNS, LIGHT SUSSEX.

DAY OLD CHICKS, TABLE FOWLS

SITTINGS FROM RECORD LAYERS.

D. V. DAVIES, PRINTER, T. WYN.

Fy nhad, Edward Davies.

◀ Bag te o Siop Bryn Pistyll.

◀ Un o 'bill-heads' busnes fy nhad.

Yn Ysgol Waunfawr. Rwyf fi y trydydd o'r dde yn y rhes flaen, ac Albert (yn amlwg aflonydd) yn ail o'r chwith yn yr ail res.

Albert, Dewi a minnau wrth y babell yn ngardd Glanfa, gyda fy nain, Elen Jones yn cadw golwg arnom.

Mae fferm Garreg Fawr ar ochr Moel Eilian sydd ar y chwith yn y cefndir.

Ein diwrnod mawr, Tachwedd 18, 1950.

Y gwesteion yn ein priodas.

Cyfreithwyr Sir Fôn ym mharti pen-blwydd Mr Gordon-Roberts yn
80 oed. Ef yw'r pedwerydd o'r chwith yn y rhes flaen.

Mary gyda Mam ac Yncl Willie,
Awst 1953.

Wrth fy nesg yn swyddfa'r Cyngor Sir yng Nghaernarfon.

Gwion gyda'i drenau.

Sioned a Gwion yng ngardd Bryn Eithin.

Daron, yr ŵyr cyntaf. Taid a Nain wedi dotio!

Dal i ddotio! Daron, Elan ac yn awr Rhean.

Gyda theulu Doris ac Alun.

Teulu Dewi fy mrawd a'n teulu ni ar achlysur dathlu priodas ruddem
Dewi ac Eurwen.

Albert, Alun, Dewi a minnau mewn priodas. Y tro olaf i ni gael bod
gyda'n gilydd i gyd.

Y teulu'n gytûn ym Mryn Eithin.

Ger yr hen fythynnod y tu ôl i Resdai Cefn-du.

Siop a bwthyn Bryn Pistyll yn 1983, cyn dechrau ar y gwaith.

Siop Bryn Pistyll yn 1993.

Bythynnod Bryn Pistyll yn 1993.

Bryn Eithin yn y cefndir, yr Antur a'r capel presennol o'r awyr.

Eira Wyn, Gwion a Gareth yn cario allan!

Garddfarchnad yr Antur yn 1993.

Cael fy urddo gan yr Archdderwydd, W. R. P. George,
yn Eisteddfod Cwm Rhymni, 1990.

Eisteddfod Dyffryn Ogwen, 1993.
Enillais gadair dan feirniadaeth yr Archdderwydd presennol,
John Gwilym Jones!

Gyda Norman Williams a Harvey Lewis ar Ddiwrnod y Capten yng
Nghlwb Golff Caernarfon, 1989.

Siop yr Antur ar ei newydd wedd yn barod am fusnes, 1993.

Ymlacio gyda ffrindiau ar y cei yn Y Felinheli.

Sioned a John a'r plant ar eu gwyliau yn Awstralia, 1992.

Torri'r gacen ar ôl y rhaglen 'Pen-blwydd Hapus'
ar S4C yn Ionawr 1993.

. . . gweld o bell y dydd yn dod

Y pryd hwnnw 'roedd gwaith y Llys a gwaith ynglŷn â hyfforddi Ynadon yn trymhau a deuai'n amlwg i mi y gallwn syrthio rhwng dwy stôl ac y gallai fy ngwaith fel Clerc Ynadon neu fy ngwaith gyda phobl a phlant â nam meddwl neu, yn wir, y ddau waith ddioddef.

Nid oeddwn ond 63 mlwydd oed ac ni wyddwn am unrhyw Glerc Ynadon a ymddeolodd o'i waith cyn bod yn 70 oed — dyna'r traddodiad mewn gwaith lle mae profiad yn chwarae rhan bwysig. Gwyddwn fy mod yn ddigon agos i'r oed ymddeol arferol mewn swyddi eraill i gael 'ymddeoliad cynnar' ond, yn anffodus, oherwydd i mi fod yn gweitho fel cyfreithiwr preifat hyd 1957 ni fyddai'r pensiwn a gawn yr hyn a ddymunwn.

Bûm mewn tipyn o gyfyng gyngor am beth amser ac 'roedd y ffaith fy mod yn hapus iawn fel Clerc Ynadon yn cymlethu pethau. Fodd bynnag, bron na theimlwn fod rhagluniaeth yn dangos y ffordd imi pan sefydlwyd y Comisiwn Iechyd Meddwl yn 1983 ac awgrymwyd imi roi fy enw ymlaen am ystyriaeth. Byddai rhaid i'r Comisiynwyr addo rhoi dau ddiwrnod o waith i'r Comisiwn bob wythnos, a thelid am y gwaith.

Gwelais gyfle i ennill arian ychwanegol a fyddai, ynghyd â'm pensiwn, yn ddigon efallai i gyfiawnhau gadael fy swydd heb orfod newid gormod ar fy ffordd o fyw. Weddill yr amser cawn gyfle i ddatblygu'r cynllun yn Waunfawr yn ogystal â chwarae rhan yng ngweithgareddau'r Strategaeth ledled Cymru.

Gofynnais i'r Ysgrifennydd Cartref ystyried fy nghais i fod yn aelod cyfreithiol o'r Comisiwn. Yng nghyflawnder amser sefydlwyd y Comisiwn a gofynnwyd i mi weithredu arno. Gyda llawer o ofid, ymddiswyddais o'm dyletswyddau fel Clerc Ynadon.

Teg yw cofnodi y bu pwysau arnaf i barhau fel Clerc Ynadon gydag addewid y cawn hefyd weithredu fel Comisiynydd ond ni theimlwn y byddai hynny'n ymarferol ac yn sicr ni fyddai'n fy rhyddhau i ddatblygu'r cynllun yn y Waun.

Ar ôl y cyfarfod cyhoeddus ni chollwyd amser cyn galw'r pwyllgor ynghyd. Ym Mryn Eithin y cyfarfyddem, yn griw hynod o frwdfrydig, ac ni thybiaf y gwadai neb nad oedd a wnelo'r lluniaeth a baratoai Mary ar ein cyfer rywbeth â ffyddlondeb yr aelodau. 'Roeddynt yn gyfarfodydd hynod o ddiddorol, yn arbennig am nad oedd gan fawr neb o'r aelodau (ar wahân i ddau neu dri) mo'r syniad lleiaf am y newid mawr a ddigwyddai a'r modd y ceisid dod â phobl â nam meddwl, fel unigolion, yn rhan o gymdeithas. Yn wir, 'roedd ambell aelod yn dal i'w chael yn anodd deall fod gwahaniaeth sylfaenol rhwng rhywun â nam meddwl a rhywun yn dioddef o afiechyd meddwl. Problem arall, i mi yn arbennig, oedd y duedd i gyfeirio at y bobl yr oeddym yn paratoi ar eu cyfer fel 'y plant' neu'r 'plant bach'. Mae'n anodd i neb gredu cymaint yw fy ngwrthwynebiad i'r hyn a ystyriaf yn agwedd ddilornus at berson trwy gyfeirio ato fel plentyn ac yntau yn oedran gŵr neu wraig. Peidied neb â meddwl, fodd bynnag, fy mod yn gweld bai ar neb am wneud hyn; nid yw'n annisgwyl o gwbl ar ôl oes o drin y bobl hyn fel plant, ac fe gymer amser hir i ni ddysgu meddwl yn wahanol.

Ond 'roedd yn bwyllgor rhyfeddol, yn cynnwys cyn-Gyfarwyddwr Gwasanaethau Cymdeithasol y Cyngor Sir a'i Brif-weinyddwr; dau feddyg; prifathrawes Ysgol Arbennig; athrawesau; Dirprwy Brif Gynllunydd y Cyngor Sir; adeiladwyr; gweinyddwr coleg; brocer yswiriant; bancwr; cyfreithiwr; cyfarwyddwr cwmni recordiau; cyfrifydd; clercod; gyrrwr lorïau; gohebydd gwasg a radio a gweithiwr i gwmni ffilmiau.

Etholwyd Mrs Pat Parry yn Ysgrifennydd, Mr Robert Jones yn Drysorydd, minnau'n Gadeirydd a Mr T.E. Jones yn Is-Gadeirydd.

Ni fynnwn fanylu ar y trafodaethau, ar wahân i nodi ambell gwestiwn diddorol y bu dadlau yn ei gylch.

Fel y nodais, 'roedd yna adeiladwyr ar y pwyllgor ac 'roeddynt yn bobl â'u traed ar y ddaear. Yn eu barn hwy, ac fe'i mynegent yn gwbl blaen, 'roedd angen JCB's i glirio'r safle, ac ailddechrau adeiladu gyda defnyddiau haws eu trin na'r cerrig digon anwastad a di-siâp a ddefnyddiwyd ryw ddeugant a hanner o flynyddoedd ynghynt wrth adeiladu'r bythynnod gwreiddiol. Yn bersonol, credwn fod yr awgrym yn dderbyniol o safbwynt economi. Fodd bynnag, 'roedd mwy na sentiment yn fy awydd i weld yr hen bentref wedi'i ailgodi heb golli ei gymeriad gwreiddiol.

Trefnais i Mr Martin Weinberg ddod i'n cyfarfod fel pwyllgor a chredaf na allai neb ddadlau â'i haeriad, *'If you clear the site and rebuild using modern materials, I have no doubt it will be a far easier task and mor economical but, if you do so, what you will have will be "the mentally-handicapped houses", whilst if you rebuild the existing shop and cottages, the place will continue to be known as, and called, Bryn Pistyll.'* Dyna achlysur arall pryd y bu gennyf achos diolch i Martin.

Ond cyn sôn am adeiladu ac, yn wir, cyn gwneud cais ffurfiol am arian i'r Swyddfa Gymreig 'roedd rhaid cysylltu â'r perchennog i sicrhau ei fod yn fodlon gwerthu ac, os felly, cytuno ar bris. Yn fy awydd i symud ymlaen 'roeddwn wedi fy mherswadio fy hun na fyddai unrhyw drafferth i brynu ac yn fy amcangyfrif cyntaf i'r Swyddfa Gymreig nodais mai gwerth y safle oedd £8,000. Credwn y byddai'r perchennog yn fwy na bodlon cael elw o £3,000 ar y pris a dalodd ef amdano. Gohebais ag ef ac, er syndod a siom imi, gofynnai am £18,000 ac nid oedd symud arno. Ni wyddwn beth i'w wneud. Ystyriais y posibilrwydd o adeiladu o'r newydd ar fy nhir fy hun ond, rywsut, 'doedd hynny ddim mor apelgar.

Galwyd pwyllgor arbennig i ystyried y sefyllfa ac unwaith eto gwahoddwyd John Mooney o'r Swyddfa Gymreig i fod yn bresennol. Dywedwyd pethau hallt iawn am y perchennog druan ond yna awgrymodd John Mooney y dylem gymryd golwg ehangach ar yr hyn y bwriadem ei wneud, ac meddai, *'You may think that in the context of the development of the scheme in its entirety the purchase price of £18,000 is not very material, and it would be a pity if you allowed this difficulty to thwart the whole development.'* Trodd un aelod o'r pwyllgor ato yn ffyrnig gan ofyn, *'Do you realise we are dealing with public money?'* Mae John Mooney yn hoff iawn o gyfeirio at y ffaith bod y sylw yna wedi cadarnhau ei farn y byddai'r datblygiad yn llwyddiant ac yn un y byddai'n werth ei ariannu. Ar ôl llawer o ddadlau, daeth y pris i lawr i

£13,000 ac, er mwyn cael symud ymlaen, cytunodd y pwyllgor arno.

Bu llawer o anawsterau eraill i'w gorchfygu. Teimlai rhai pobl mewn ardaloedd eraill ein bod yn cael mantais annheg yn Waunfawr, a hynny, mae'n siŵr, oherwydd fy nghysylltiad i â rhai o swyddogion y Swyddfa Gymreig. Rhaid cyfaddef i'r cwynion hyn beri loes imi, yn enwedig pan wnaed ensyniadau mai fi oedd perchennog y bythynnod a'r siop a'm bod yn gwneud elw o'r holl fenter.

Tua'r un pryd penderfynodd y Swyddfa Gymreig nad doeth oedd dechrau ariannu cynlluniau unigol hyd nes y byddai cynlluniau ehangach, mwy cynhwysfawr wedi cael eu llunio. Cymerais y cam beiddgar o ysgrifennu at Mr Wyn Roberts yn bersonol gan dynnu ei sylw at y ffaith bod pobl y Waun wedi dangos brwdfrydedd neilltuol ynglŷn â'r fenter ac os na fedrem fanteisio ar y brwdfrydedd hwnnw y byddai ar ben ar y datblygiad. Cawsom ganiatâd i symud ymlaen.

'Roedd cant a mil o drefniadau i'w gwneud. Fel pwyllgor 'roeddem yn ymwybodol ein bod yn gyfrifol am safle adeiladu a'i bod yn holl bwysig cael yswiriant priodol i'n gwarchod. Daeth Rob i'r adwy ond oherwydd y byddai llawer o'r gweithwyr yn bobl â nam nid ar chwarae bach y llwyddodd i berswadio un cwmni i'n hyswirio. Ond fe lwyddodd.

Tra'n trafod oblygiadau yswiriant y sylweddolais y gallai aelodau'r pwyllgor fod mewn perygl pe digwyddai damwain a'r Cwmni Yswiriant yn anfodlon derbyn y cyfrifoldeb. Penderfynais mai'r peth doethaf oedd corffori cwmni gan y byddai hynny yn cyfyngu cyfrifoldeb personol y cyfarwyddwyr i bunt yr un. Ymddangosai'n ffordd rwydd o sicrhau na fyddai unrhyw ymddiriedolwr yn gorfod mynd i'w boced ei hun i dalu iawndal.

Ond nid dyna ddiwedd y stori. 'Roedd eisiau cofrestru'r Cwmni fel elusen a bu dadlau brwd rhyngof a'r Comisiynwyr Elusen a oedd, bob sut a modd, yn ceisio fy rhwystro rhag dilyn y llwybr hwnnw. Aeth pethau'n bur boeth rhyngom a phan aethant ati i ddweud wrthyf sut i lunio gweithred bwrcasu'r safle bu'n rhaid imi ofyn iddynt am gael gohebu â'u cyfreithwyr. Yn y diwedd caed cytundeb ac, yn ôl a glywaf, mae llai o drafferth wedi bod ar ôl hynny i gofrestru cwmnïau tebyg i'n cwmni ni fel elusennau.

Yn groes i'r disgwyl, ni chefais drafferth o gwbl yng nghyswllt cofrestru'r fenter yn gwmni. Euthum i Dŷ'r Cwmnïau yng Nghaerdydd a chael pawb yno yn hynod o glên ac yn awyddus i'm helpu. Fodd bynnag, yn y cyswllt hwn, rhaid cydnabod fy mod wedi dilyn y patrwm cyffredin o roi'r Gymraeg yn eilbeth pan fo rhywbeth arall yn ymddangos yn bwysicach ar y funud. Yn wir, sylwais lawer gwaith, er mawr gywilydd imi, mor barod wyf i wneud hynny yn fy amgylchiadau personol. Hawdd iawn yw defnyddio sieciau Cymraeg ond llawer mwy anodd yw pwyso am ddogfen Gymraeg gan Gwmni Yswiriant sy'n cynnig gwell telerau nag un arall, neu ddadlau â heddwas pan fo gobaith osgoi gwŷs trwy beidio â'i dramgwyddo.

Yn Nhŷ'r Cwmnïau 'roedd yn rhaid sicrhau nad oedd cwmni arall wedi ei gofrestru dan yr un enw ag y bwriadem ni ei ddefnyddio. Yn ffodus iawn, 'doedd dim un ac, ar y pryd, dim ond rhyw gwmni neu ddau oedd â'r gair 'Antur' yn eu henw cofrestredig. Felly ar y 22ain dydd o Fehefin 1984 cofrestrwyd Antur Waunfawr yn gwmni corfforedig gyda statws elusennol.

Gwaith a gorffwys . . .

Nid oedd gennyf amheuaeth o gwbl na fyddai ardal Waunfawr yn rhoi cefnogaeth i'r fenter ac ar ôl ymgorffori cwmni Antur Waunfawr gofynnwyd i'r pentrefwyr ystyried bod yn aelodau neu gyfranddalwyr ar daliad o £1. Profiad melys oedd derbyn ceisiadau am aelodaeth gan yn agos i ddeugant. Mae'r ddogfen ymgorffori yn cyfyngu'r aelodaeth i rai yn byw o fewn cylch y Cyngor Cymuned. (Mae'n werth cofnodi fod yr aelodaeth ar y funud yn agos at ddau gant a phedwar ugain, er ein bod wedi colli rhai degau o'r aelodau gwreiddiol a fu farw er pan sefydlwyd y cwmni). Ar ôl ffurfio'r cwmni etholwyd aelodau'r pwyllgor yn gyfarwyddwyr.

Yn niwedd 1984 hysbysebwyd dwy swydd gan bwysleisio ein bod yn disgwyl ceisiadau oddi wrth rai a feddai brofiad fel adeiladwyr neu ar y tir. Y ddau a benodwyd oedd Mr Hywel Evans a Mr Allan Owen. Saer coed oedd Allan wrth ei alwedigaeth ac 'roedd Hywel, ar ôl profiad mewn sawl swydd, yn Ddirprwy-Brifathro mewn Ysgol Arbennig i blant â nam meddwl yn Llandudno. Teimlai'r cyfarwyddwyr fod profiad Hywel yn gyfryw fel ag i'w benodi'n Weinyddwr y cwmni.

Yn gynnar yn 1985 dechreuwyd clirio ychydig o gwmpas y lle a'i ddiogelu fel y gellid dechrau ar y gwaith ailadeiladu. Prynwyd *Land Rover* ail-law a rhywfaint o offer a nwyddau ar gyfer y gwaith a dechreuwyd dod â phobl â nam meddwl i weithio ar y safle.

Yn raddol y datblygodd ein cynlluniau. Yn wir, daeth

yn amlwg yn gynnar nad oedd modd cynllunio rhy bell ymlaen. 'Roedd y gwaith yn dibynnu ar allu'r unigolion a pha mor gyflym y byddai eu sgiliau'n datblygu. Er mai ailadeiladu bythynnod a siop Bryn Pistyll oedd yr ymgymeriad a gafodd sylw'r ardal ac a gafodd y cyhoeddusrwydd yn gyffredinol, rhan oedd hynny o'r hyn y gobeithiem ei gyflawni. O'r cychwyn fe bwysleisiwyd y byddai gweithgor ar gael yn yr ardal a fyddai'n rhoi gwasanaeth i rai a fynnai gael help gyda mân orchwylion. Nid yn unig yr oeddym yn awyddus i weithwyr Antur Waunfawr gael eu gweld yn amlwg o gwmpas yr ardal ond yr oedd yn bwysig hefyd fod dewis o waith ar gael i'r unigolion a ddôi yno i weithio. 'Roeddym yn awyddus i bawb fod mor hapus ag oedd modd gyda'i orchwyl ond, yn y cyswllt hwn fodd bynnag, sylweddolem fod rhaid i'n gweithwyr ni, fel ym mhob sefyllfa waith arall, gyflawni dyletswyddau a oedd ar brydiau yn groes i'r graen. Er enghraifft, mae torri coed tân yn waith llafurus, undonog ond 'roedd pobl y Waun angen coed tân, ac felly, ar brydiau, 'roedd ac mae rhai o'r gweithwyr yn gorfod gwneud y gwaith hwnnw. Ceisiwn ofalu nad oes neb yn wynebu cyfnodau hir o waith felly ac mae'r rhai sydd ar y gwaith yn cael y fantais o ddosbarthu eu cynnyrch o gwmpas y Waun. Os daw cildwrn i'w rhan mae'n gwneud rhywfaint o iawn am orfod cyflawni swydd ddiddychymyg.

Athroniaeth waelodol y cwmni o'r cychwyn oedd fod pwrpas i bob gorchwyl; ni roddid lle i'r arfer traddodiadol o 'ffendio rhywbeth iddo fo'i wneud i'w gadw fo'n dawel.'

Y rhyfeddod mawr oedd darganfod y galluoedd oedd gan nifer o'r rhai a ddaeth i weithio i'r Antur, galluoedd na chawsant gyfle ynghynt i'w rhoi ar waith; yn wir, galluoedd nad oedd neb yn ymwybodol ohonynt.

Nid hawdd ar y cychwyn oedd perswadio rhieni i adael i'w plant ddod i weithio i Antur Waunfawr. Onid oedd tacsis y Cyngor Sir yn galw amdanynt yn rheolaidd i'w hebrwng i'r *Training Centre* cynnes, clyd, lle caent bob gofal, pryd o fwyd ganol dydd a'u hebrwng adref amser te? Pa reswm cefnu ar y sefyllfa ddiogel honno a gyrru plentyn a oedd wedi arfer cael gofal gwarcheidiol i hen furddunod oer, yn agored i'r tywydd a heb gyfleusterau bwyd na fawr ddim arall, ac ar ben hynny ar y dealltwriaeth y byddai'n gorfod gweithio pa un a fyddai arno awydd gwneud hynny ai peidio?

Rhaid mynegi dyled y Cwmni i Mr Hywel Evans am lwyddo i berswadio'r rhieni cyntaf a fentrodd wynebu ansicrwydd sefyllfa a olygai newid sylfaenol ym mywydau eu plant. Yn bersonol, ni allaf ddirnad sut y dylanwadodd arnynt, yn enwedig o gofio bod llawer o'r gwaith yn golygu y byddai eu plant, fel gweithwyr ar safle adeiladu, yn wynebu elfen o berygl a bod yn rhaid i'r rhieni ddeall a derbyn hynny.

Fodd bynnag, ar ôl i ddau neu dri fod yn gweithio yn yr Antur am ychydig wythnosau 'roedd yn amlwg i bawb fod y newid yn eu hymarweddiad mor syfrdanol nes trawsnewid y sefyllfa. Daeth ceisiadau lu gan rai a ddymunai i'w plant hwythau fanteisio yn yr un modd. Byth ar ôl hynny bu pwysau ar yr Antur i roi cyfle i fwy o weithwyr nag y byddai'r Cyfarwyddwyr yn fodlon eu derbyn. Fel y nodais eisoes, ni fynnem weld yr ardal yn datblygu yn rhyw fath o *ghetto* i bobl anabl. Mae'n deg ychwanegu bod natur yr amgylchedd a'r gwaith yn golygu na allwn ystyried rhoi gwaith i rai gydag anabledd corfforol dwys.

'Roedd y gwaith o ailadeiladu Bryn Pistyll yn ddelfrydol o safbwynt rhoi cyfle i bobl ddibrofiad arfer ag offer gwaith a defnyddio'u hynni yn greadigol. Ar y dechrau, 'roedd llawer o waith clirio a thynnu rhannau o'r hen waliau i lawr ac nid oedd diffyg profiad nac yma nac acw ond, yn ddiweddarach, pan ddechreuwyd ar yr adeiladu o ddifrif, 'roedd y profiad a gawsent ynghynt o fudd mawr iddynt.

'Roedd Allan Owen wedi'i gyflogi i ofalu am y gwaith ar yr adeiladau ac mae'n deg cofnodi iddo ymgymryd â'r dasg â'i holl egni. O gofio'r holl amgylchiadau, 'roedd y pwysau a roddwyd ar fachgen ifanc cymharol ddibrofiad yn hynod o drwm. Nid yn unig disgwylid iddo archebu a phrynu'r defnyddiau angenrheidiol, sicrhau offer priodol, cynllunio'r gwaith o ddydd i ddydd ond hefyd disgwylid iddo gydweithio â phobl hollol ddibrofiad a nam meddwl ganddynt.

Ceisiem wneud yr hyn a allem o'r gwaith adeiladu ein hunain ond, dan gyfarwyddyd y penseiri, barnwyd mai doeth oedd cael cwmni proffesiynol i ail-doi'r adeilad mwyaf. Ambell dro buom yn rhy uchelgeisiol; er enghraifft, tybiem y gallem arbed arian trwy osod y gwifrau trydan ein hunain ac aed ymlaen â'r gwaith. Edrychai'n eithaf taclus ond ychydig o gydymdeimlad a ddangoswyd gan MANWEB. Bu rhaid cyflogi gŵr proffesiynol i ail-wneud yr holl waith. Ysgol dda yw ysgol profiad ond nid yw'n rhad.

Gall lluniau o'r adeiladau cyn ac ar ôl eu haddasu roi rhyw syniad o'r gwaith a wnaed ond ni all neb ond y rhai a oedd yno ar y pryd amgyffred maint a chymhlethdod y gwaith hwnnw. Cymerid gofal nad oedd unrhyw weithiwr yn cael ei roi mewn perygl heb yn gyntaf ystyried ei allu i ymdopi â'r hyn y disgwylid iddo'i gyflawni. Ond, ar yr un pryd, 'roedd yn bolisi gennym ein bod yn dad-wneud effaith y gorofal a gawsai'r rhan fwyaf o'r gweithwyr dros y blynyddoedd. Felly, peth cyffredin iawn oedd gweld pobl â nam arnynt yn gweithio ar sgaffaldiau ac yn defnyddio ysgolion i wneud yr hyn 'roedd ei angen.

Yn gyfochrog â'r gwaith adeiladu 'roedd gwaith yr Antur yn y gymuned hefyd yn datblygu. Addawsom i'r pentrefwyr y byddai gennym weithgor at wasanaeth yr ardal a phan ofynnwyd i ni dorri gwair rhyw lawnt arbennig prynwyd peiriant at y pwrpas ac aed ati i wneud y gwaith. Yn fuan iawn aeth y gair ar led ein bod yn gwneud gwaith da ar y gerddi ac fe gynyddodd y busnes. Ar y dechrau, 'roedd lle cryf i gredu mai caredigrwydd cynhenid pobl Waunfawr oedd yn gyfrifol am roi gwaith 'i'r petha bach', ond yn fuan iawn sylweddolwyd mai fel busnes y gweithredem. Codem bris teg am ein gwaith ac 'roedd y Cyfarwyddwyr yn benderfynol y byddem yn rhoi gwasanaeth teilwng. Cofiaf yn dda fel y cefais fy nghalonogi o glywed cwyn gan wraig arbennig fod y gwaith a wnaed ar ei gardd yn flêr. Teimlais, am y tro cyntaf efallai, ein bod yn cael ein hystyried yn fusnes 'go iawn'. Ni fynnwn awgrymu am funud ein bod yn berffaith, ac o bryd i'w gilydd bu ambell achlysur anffodus, ond nid pobl anabl yn unig sydd weithiau'n methu â gwahaniaethu rhwng chwyn a phlanhigion prin, ac mae *strimmers* yn gallu clirio darn mawr o ardd yn gyflym iawn!

172

Erbyn hyn gofalwn yn rheolaidd am tua deugain gardd yn y pentref. Prynwyd ychwaneg o offer a chwyddodd ac ehangodd y busnes yn ogystal â chylch ein gweithrediadau. Gwelir gweithlu'r Antur yn gwneud gwaith cynnal a chadw ar erddi a thiroedd cwmnïau a chyrff cyhoeddus ymhell ac agos. Cawsom gytundebau plannu coed, gosod llwybrau, trin mynwentydd ac felly ymlaen, ac mae'r galw am ein gwasanaeth bellach mor drwm fel ein bod yn medru gwrthod a derbyn cytundebau yn ôl ein dymuniad ein hunain. Mae gennym werth miloedd lawer o offer at ein gwasanaeth.

Sefydlwyd gardd farchnad gerllaw Bryn Pistyll ac mae yno nifer o dai gwydr mawr. Yn ystod yr haf mae'r lle'n rhyfeddol o ddeniadol ac mae gwerthiant mawr i'r planhigion a gynhyrchir gennym. Yn ddiweddar ehangwyd yr ochr hon i'r busnes a dechreuwyd cynhyrchu dodrefn gardd o bob math mewn concrid a phren. Mae'r offer a'r profiad gennym i gynhyrchu ar raddfa eang; yn wir, talwyd £1,500 i lunio a dosbarthu catalog yn rhestru'r hyn sydd gennym ar werth.

Ailagorwyd hen siop Bryn Pistyll i werthu lliaws o wahanol bethau a gynhyrchir gan y gweithlu ac mae caffi bychan yn y siop. Cafodd y jams, chutneys a'r marmalêd gymaint o sylw fel ein bod bellach yn cyfanwerthu ein cynnyrch ac fe ddaw pobl i'r siop o gryn bellter i brynu ein nwyddau. Pleser a ddaw i'n rhan yn aml yw croesawu partïon o gymdeithasau megis Merched y Wawr, *Women's Institutes* ac yn y blaen, ac os cawn ddigon o rybudd gallwn ofalu fod digon o ddanteithion yn barod ar gyfer parti sylweddol.

Gofalwn am lanhau Capel Waunfawr ac yr ydym yn gallu rhoi help yn yr Ysgol Feithrin.

Ceisiwn gryfhau bywyd cymdeithasol pentref Waunfawr a threfnir Barbaciw blynyddol. Mae diwrnod 'Ras Antur Waunfawr' yn un hynod o boblogaidd, gydag ugeiniau yn cymryd rhan. Mae'n gyfle hefyd i gymdeithasau elusennol osod byrddau gwerthu a manteisio ar y tyrfaoedd a ddaw i weld y ras. O bryd i'w gilydd trefnir nosweithiau agored: noson grempog, noson fins peis ac yn y blaen.

Penderfynwyd datblygu'r tir ar ffurf parc bywyd gwyllt. Gyda chydweithrediad y Cyngor Gwarchod Natur, Ysgol Waunfawr a chyrff cyhoeddus bydd llynnoedd yn cael eu cloddio a llwybrau'n cael eu gosod i alluogi'r cyhoedd i fwynhau'r amgylchedd. Yn sgîl y datblygiad diweddaraf hwn rhagwelwn gynnydd sylweddol ym mhrysurdeb y siop a'r caffi.

'Rydym hefyd â'n bryd ar sefydlu canolfan neu ganolfannau i gasglu ac ailgylchynu defnyddiau sy'n cael eu gwastraffu. Fel gyda'r gweddill o'n gweithrediadau, bydd yn rhaid wrth gymorth ariannol ond bydd yr hyn a wneir o fudd i gymdeithas.

Oherwydd i ni ar y cychwyn gyhoeddi ar led beth oedd ein cynlluniau yn Waunfawr 'roedd y wasg, y radio a'r teledu yn rhoi sylw i'r fenter a sylweddolais y gallai'r sylw hwn fod o fantais fawr i ni. Fel y datblygai'r Antur 'roedd y gwariant yn codi ac er fy mod yn bur hyderus y byddai'r Swyddfa Gymreig yn parhau i'n cyfnogi 'roeddwn hefyd yn ymwybodol y gallem yn fuan orfod cystadlu ag eraill a fyddai'n llygadu'r pwrs. Yn hollol fwriadol manteisiwyd ar bob cyfle posibl i dynnu sylw'r cyhoedd at yr hyn oedd yn digwydd yn yr Antur. Cafodd y fenter ei chydnabod gan yr EEC fel cynllun blaengar ac ar sail y gydnabyddiaeth honno cawn arian sylweddol o'r Gronfa Ewropeaidd yn flynyddol.

Llwyddasom i ennill gwobrau o filoedd o bunnoedd dros y blynyddoedd ar bwys yr hyn a wnaed, gan gynnwys gwobr y *Times* a'r *R.I.B.A.* am y datblygiad mwyaf uchelgeisiol yn y wlad. Cawsom gydnabyddiaeth ar lefel ryngwladol hefyd, gyda gwahoddiad i wlad Belg i Gyngres ryng-genedlaethol i drafod yr hyn a wnaem. Dros y blynyddoedd bu pobl yn ymweld â'r lle o Ganada, India, Iwerddon, Rwmania, yr Iseldiroedd, Gwlad Belg, Siapan a'r Amerig ac mae treigl cyson o bobl yn dod yma ac erthyglau'n ymddangos mewn papurau am yr hyn a gyflawnwyd yn y Waun.

Croesawaf y sylw hwn â breichiau agored. Wedi'r cwbl, cyhyd ag y bydd y cyhoedd yn parhau i ddangos cymaint o ddiddordeb yn yr hyn sy'n digwydd ni thybiaf y bydd yr Awdurdodau yn debygol o dynhau ceg y pwrs.

Ein nod fel Cyfarwyddwyr yw sicrhau bod yr unigolion anabl yn ymdoddi i mewn i'r gweithgor a'u bod yn gwneud gwaith â phwrpas iddo er budd y gymdeithas, a thrwy hynny, cael eu derbyn yn rhan naturiol o'r gymdeithas. Ceisiwn redeg y lle fel busnes gan ein bod yn credu y gall agwedd felly danseilio'r dybiaeth mai pethau i'w gwarchod a'u maldodi yw'r rhai sy'n dioddef o nam meddwl.

Disgwylir i bob un ohonynt weithio yn ôl ei allu ac mor galed ag y bo modd. Mae pawb sydd yn gweithio yma, yn abl ac yn anabl, yn datblygu sgiliau ond dylid pwysleisio nad dyna bwrpas yr Antur. Lle gwaith ydyw, a'r peth diwethaf a hoffem fyddai parhau'r hen draddodiad o addysgu pobl â nam meddwl am ran helaeth o'u bywyd ar gyfer swyddi nad ydynt yn bod.

Mae'n wir y byddai'n ddiddorol cyfeirio at y gwahanol unigolion sy'n rhan o'r gweithgor ond ni thybiaf y byddai'n deg gwneud hynny. Fodd bynnag, gallaf ddweud yn ddibetrus eu bod, un ac oll, wedi datblygu y tu hwnt i obeithion neb. Mae'n hawdd i ni, a fu yn eu cwmni, sylweddoli mor bwysig ym mywyd person yw cael gweithio a chael cydnabyddiaeth am y gwaith hwnnw. Hyfrydwch yw gweld fel y gall person newid o gael bod mewn sefyllfa lle nad yw rhwystredigaethau yn llesteirio ei ddatblygiad. Dysgodd pob un ohonynt — i wahanol raddau, mae'n wir — sgiliau newydd. Yn ddiwahân datblygodd eu hyder. Maent yn well dinasyddion ac yn llawer mwy gwerthfawr i gymdeithas.

Ar hyn o bryd mae oddeutu 34 o weithwyr ar lyfrau'r Antur, gyda 22 o'r criw yn anabl yn feddyliol. Mae'r profiad o waith ac o fywyd a gawsant wedi galluogi pedwar o'n gweithwyr i symud i borfeydd brasach ac, yn naturiol, llawenhawn yn eu llwyddiant er bod colled ar eu hôl.

Oherwydd ein pwysigrwydd fel uned economaidd yn y gymdeithas cawsom arian o'r Swyddfa Gymreig i godi adeilad gweinyddol ar y tir. Mae hyn yn ein galluogi i ddarfod addasu'r bythynnod fel y gall rhai o'n gweithwyr fyw ynddynt ac mae fflat uwchben y siop bron â bod yn barod i'w ddefnyddio.

Hyd yma, bu'r cynllun yn llwyddiant digymysg a thra pery ffydd yr ardal yn yr Antur ymddengys y dyfodol yn sicr.

Ein gobaith yw ein bod wedi llwyddo i osod sylfaen

ac arddangos y gall pobl â nam meddwl ddatblygu tu
hwnt i unrhyw ddisgwyliadau wrth eu trin fel pobl a rhoi
cyfle iddynt wasanaethu'r gymuned. Yn bwysicach fyth,
gobeithiwn ein bod wedi rhoi cyfle i'r ardalwyr dderbyn
yr unigolion hyn fel pobl ac nid fel pethau.

Hawl i holi

Dywedais mai gyda gofid y penderfynais roi'r gorau i'm gwaith fel Clerc Ynadon. Efallai bod peth o'r digalondid ynghlwm wrth y teimlad bod fy nyddiau gweithio yn dirwyn i ben. Gwyddwn y byddai rhoi Antur Waunfawr ar y rêl yn rhoi digon i mi i'w wneud ond y byddwn hefyd, o'r diwedd, yn cael amser i geisio dysgu chwarae golff o ddifrif.

Bychan y sylweddolwn y byddai'r penodiad yn Gomisiynydd dan Ddeddf Iechyd Meddwl 1983 nid yn unig yn agor drws ar fyd newydd imi ond hefyd yn llenwi hynny o amser sbâr fyddai gennyf.

Gwir, fe gefais amser i chwarae golff, os chwarae golff yw mynd o gwmpas y cwrs yn y bore yng nghwmni Dr Alwyn Miles. 'Roeddym yn ffrindiau mawr ers blynyddoedd ond yn awr cawn fwy o gyfle nag erioed i wrando ar draethu'r seicolegwr gorau y cefais y pleser o'i adnabod. 'Roedd syniadau'r ddau ohonom, ar sawl pwnc, yn debyg ond teimlwn bob amser fod ei draed ef yn fwy soled ar y ddaear. 'Roedd yn hollol annibynnol ei farn, a'i addfwynder cynhenid yn peri ichwi barchu ei ddaliadau heb, o angenrheidrwydd, gytuno â hwy bob amser.

Ni cheisiodd erioed guddio'i farn fod gan berson hawl i farw gydag urddas ac nid anghofiaf fyth ei agwedd pan ofynnodd fy nau ewythr iddo ystyried rhoi ail lawdriniaeth i'm nain ar ôl i'r gyntaf fethu. Yn dawel, yn addfwyn ond yn bendant, dywedodd, 'Mi fasai'n biti 'i brifo hi eto'n basai?' Aeth y neges adref. Soniodd lawer wrthyf am y cyfnod pan oedd ar ei ben ei hun fel meddyg ac ar alwad ddydd a nos, bedair awr ar hugain y dydd, saith diwrnod yr wythnos. Soniai hefyd am yr anobaith o ganfod rhywun yn dioddef o'r darfodedigaeth.

Clywais ef yn dweud, gan gyfeirio at ei flynyddoedd cynnar fel meddyg, 'Wyddost ti be, 'doedd yna ddim cyffur gwerth ei gael ond aspirin a beicarb yn y dyddiau hynny. Y llawfeddyg oedd yn cyfrif ac, os medrwn i ganfod beth oedd yn bod — a'r G.P. oedd â'r cyfle gorau i wneud hynny — 'roeddwn i'n gwneud fy nyletswydd. Y *sulphonomites* a wnaeth y gwahaniaeth mawr, ac yna'r penicilin.'

Dylai fod wedi cofnodi ei hanes er na fyddai modd cyhoeddi'r straeon gorau. 'Roedd cylch ei adnabyddiaeth yn eang anghyffredin. Ym myd golff, credaf ei bod yn deg dweud mai ei agwedd oedd, 'Fedra i ddim dodwy ŵy ond mi wn pan fydd ŵy yn ddrwg.' Ofnaf nad enillodd unrhyw wobrau, mwy na minnau, ond nid ar yr ymdrech 'roedd y bai. Darllenodd lawer, gormod efallai, ar sut i feistroli'r gamp ac yr oedd, yn nghyswllt golff fel ym maes meddygaeth, yn gallu dadansoddi beth oedd o'i le pan nad oedd pethau'n gweithio fel y dylent!

Rhoes Deddf Iechyd Meddwl 1983 ddyletswydd ar yr Ysgrifennydd Cartref i benodi Comisiynwyr annibynnol a fyddai'n gofalu am fuddiannau cleifion a gedwid trwy orfodaeth mewn ysbytai meddwl. Mae'n wybyddus i'r rhan fwyaf ohonom i nifer o ysbytai meddwl anferth gael eu hadeiladu yn ystod y ganrif ddiwethaf a'r rhan fwyaf o'r rheiny wedi eu lleoli ymhell o bob man. Fe'u gelwid yn *lunatic asylums* flynyddoedd yn ôl ac, o bryd i'w gilydd, fe glywid am achosion lle 'roedd cleifion wedi cael eu cam-drin. O bryd i'w gilydd hefyd fe glywid am nyrsys yn cael eu beio ar gam.

Pan fo claf yn dioddef o anhwylder meddwl digon difrifol i'w gadw mewn ysbyty yn groes i'w ewyllys, er ei fwyn ei hun neu er mwyn pobl eraill, rhoddir gorchymyn i awdurdodi hynny, sydd hefyd yn awdurdodi rhoi cyffuriau a thriniaeth iddo yn unol â barn y meddyg. Gyda'r cleifion hyn yn benodol yr oedd ein dyletswyddau ni fel Comisiynwyr, sef ymchwilio i'w cwynion a gofalu bod eu hawliau dynol yn cael eu parchu.

'Roeddwn i yn un o nifer o Gomisiynwyr gyda gofal am gleifion mewn ysbytai yng Ngogledd-orllewin y Deyrnas Gyfunol ac yn ystod y blynyddoedd ymwelais yn achlysurol â degau o ysbytai mewn cylch a oedd yn cynnwys Lancaster yn y Gogledd a Coventry yn y De. O fewn y dalgylch yr oedd ysbytai Gogledd a Chanolbarth Cymru ond hefyd, yn bwysicach i Gomisiynydd efallai, y ddau ysbyty yn Maghull ger Lerpwl, sef Moss Side a Park Lane lle cedwir rhai o bobl beryclaf y wlad.

Cofiaf yn dda fy mod dipyn yn swil ar fy ymweliad cyntaf ag ysbyty meddwl. 'Roeddwn yn ymwybodol imi gael fy newis yn Gomisiynydd am fod gennyf fab â nam meddwl ac mai eilbeth efallai oedd fy mhrofiad cyfreithiol. Ni wyddwn yn iawn beth i'w ddisgwyl a daeth yn amlwg na wyddai awdurdodau'r ysbytai chwaith! Credent ein bod yn bwysig ryfeddol ac fe gawsom ein trin fel pe baem yn aelodau o'r teulu brenhinol — blodau yn y drws, pawb yn hynod groesawus a bwyd ardderchog.

Fodd bynnag, fel mater o bolisi, rhoesom ar ddeall nad oedd arnom eisiau cael ein maldodi a'n bod yn dymuno bwyta yn y cantîn a thalu am ein bwyd. Nid hawdd bob tro oedd eu darbwyllo ein bod yn benderfynol o fod yn hollol annibynnol ond deallodd pawb yn y man.

Rhyw ddwywaith yr wythnos yr awn ar ymweliad a byddai tri ohonom yn cyfarfod yn yr ysbyty ac yn mynd o gwmpas y wardiau. Cariem gardiau adnabod ac yr oedd hawl gennym i weld holl ddogfennau'r ysbyty, gan gynnwys adroddiadau am hanes a thriniaeth unrhyw glaf yno.

Er mai'n prif ddyletswydd oedd ystyried amgylchiadau'r cleifion a oedd yno dan orfodaeth, yn ddieithriad manteisiem ar y cyfle i ystyried y sefyllfa o safbwynt y cleifion eraill hefyd, ac mae'r Comisiwn, fel corff, wedi bod yn dwyn pwysau ar yr Ysgrifennydd Cartref i ehangu swyddogaeth Comisiynwyr i'r cyfeiriad hwnnw.

Dewisem un o'n plith i fod yn Gadeirydd am y dydd ac ar ddiwedd yr ymweliad rhoddid cyfle i'r prif swyddogion ateb ein cwynion. Yn ddiweddarach, byddai'r cwynion hyn yn cael eu rhoi ar ddu a gwyn i'r awdurdodau a oedd yn gyfrifol am y gwasanaeth.

Ni fyddai'n ddoeth nac yn deg imi fanylu ar unrhyw achos penodol a ddaeth i'm sylw ond rhaid imi gydnabod na chefais dystiolaeth bendant o unrhyw achos o gam-drin corfforol bwriadol, er bod rhywun yn synhwyro, o bryd i'w gilydd, nad oedd popeth bob amser fel y dylai fod yn y cyfeiriad hwnnw. Byddai'n anodd iawn profi mewn unrhyw achos fod grym diangen wedi'i ddefnyddio i rwystro claf rhag ei beryglu ei hun neu beryglu eraill mewn amgylchiadau a oedd yn anodd i bawb.

Gellid synhwyro'r tensiwn a oedd, wedi'r cwbl, yn anochel mewn sefyllfa lle cedwid cleifion yn gaeth. 'Roedd y profiad o fynd i ysbytai Moss Side a Park Lane yn ddiddorol tu hwnt. Er mai ysbytai y'u gelwir, fe ddywedwn i mai carchardai ydynt, carchardai gyda gogwydd meddygol. Yn wir, awn ymhellach a dweud mai dyma'r math o le y dylai pob carcharor fod ynddo. Yn rhyfedd iawn, ni theimlais yr un ias o ofn o fod mewn cell gyda gwŷr y gwyddwn eu bod yn llofruddion serch bod y nyrsys (fel y'u gelwir) yn dweud bod perygl i ni gael ein cymryd yn wystlon.

Ceid cyfarfod achlysurol o'r holl Gomisiynwyr i drafod polisi a byddai Comisiynwyr y Gogledd-orllewin hefyd yn cyfarfod yn eithaf aml. Yn ychwanegol, sefydlwyd nifer o bwyllgorau yn ymwneud â gwahanol agweddau o'n dyletswyddau. Daeth swyddfa'r Comisiwn yn Llundain a'r swyddfa leol yn Lerpwl yn lleoedd cyfarwydd i mi, a'r milltiroedd a deithiwn yn niferus ryfeddol.

O'm safbwynt i'n bersonol y pwyllgor pwysicaf oedd yr un a drafodai oblygiadau'r Comisiwn ym maes pobl â nam meddwl dan gadeiryddiaeth Mrs Shirley Turner, gwraig Merfyn Turner y cyfeiriais ato'n gynharach. Cyd-ddigwyddiad rhyfeddol oedd ei bod hi ar y Comisiwn, a dyna pryd y deallais fod ganddynt ferch â nam meddwl. Cefais gyfle i gydweithio llawer â hi a chyfarfod Merfyn yn amlach gan sylweddoli fwyfwy mor ffodus oeddwn o gael adnabod y ddau a'u rhestru ymhlith fy nghyfeillion. Efallai y dylwn gofnodi i mi gael gwahoddiad i de gyda Merfyn a Shirley mewn tŷ y bwriadent ei wneud yn gartref ger Rhuthun. 'Roeddynt wedi prynu hen gapel y Graig ac yn bwriadu symud yno i fyw. Gofynnais i Merfyn pam y penderfynodd ddewis yr adeilad arbennig hwnnw. 'Wel, Gwynn,' meddai, 'mae fy mrawd yn weinidog, a dyna oedd fy nhad hefyd. Efallai nad ydi fy ffydd i'n hollol yr un fath ond 'rydw i'n siŵr y buasai'r hen wraig fy mam yn hoffi meddwl y buaswn yn marw mewn capel!'

Mae'r sefyllfa gyfreithiol parthed pobl â nam meddwl mewn ysbytai yn ddiddorol ac, yn fy marn i, yn sefyllfa warthus. Ychydig iawn o bobl â nam meddwl sy'n dioddef o anhwylder meddwl cynddrwg ag i'w cadw mewn ysbyty dan orfodaeth, am nad ydynt yn berygl iddynt eu hunain na neb arall, yn ôl y Ddeddf Iechyd Meddwl. Yn gyfreithiol, os nad yn ffeithiol, aethant i'r ysbyty o'u gwirfodd ac arhosant yno am eu bod yn dymuno gwneud hynny. Mewn gwirionedd, nid felly y mae. Hwy oedd yr unig rai na ofynnwyd eu barn pan aethant yno a phe baent yn dymuno gadael ni chymerid y sylw lleiaf o'u cais.

Y sefyllfa anhygoel yw bod degau o filoedd o bobl yn cael eu carcharu mewn ysbytai a neb yn poeni dim am foesoldeb y sefyllfa. Llawer gwaeth nag unrhyw ystyriaethau moesol yw'r ffaith nad oes ganddynt unrhyw hawliau fel unigolion, tra bo'r Ddeddf yn mynd i drafferth fawr i ofalu am iawnderau'r cleifion hynny sy'n cael eu cadw yn yr ysbytai dan orchmynion gorfodol.

Os yw claf yn cael ei gadw yn unol â gorchymyn, yna ni ellir rhoi cyffuriau iddo am gyfnod mwy na thri mis heb ei ganiatâd personol, neu, os nad yw mewn cyflwr i roi caniatâd, heb archwiliad meddygol annibynnol. Eir i drafferth fawr i esbonio eu hawliau i gleifion dan orchymyn, yn cynnwys eu hawl i gwyno ar unrhyw amser i Gomisiynydd ac i wneud ceisiadau'n rheolaidd am gael eu rhyddhau. Dim ond rhyw ddyrnaid o'r degau o filoedd o bobl â nam meddwl sydd â'r hawliau hyn ganddynt.

Hyd nes y cefais gyfle fel Comisiynydd i weld hyn trosof

fy hun nid oedd gennyf y syniad lleiaf am y sefyllfa sydd ohoni. Mae'r arian sydd ar gael i ofalu am ysbytai fel hyn yn gwbl annigonol ac yn golygu, yn aml, mai'r unig ffordd i ofalu amdanynt yw rhoi cyffuriau i'w tawelu a hynny'n rheolaidd o ddechrau blwyddyn i'w diwedd.

Nid oes hanner digon o nyrsys a staff i'w gwarchod ac nid yw'r cyhoedd, yn gyffredinol, yn poeni dim; yn poeni dim am wardiau'n llawn o bobl nad ydynt yn gadael y ward o un pen blwyddyn i'r llall; yn poeni dim nad oes na chyfaill na pherthynas byth yn edrych amdanynt. Duw a ŵyr sut mae'r nyrsys, heb amser i wneud dim ond eu hymolchi, eu hymgeleddu a'u bwydo, yn gallu ymdopi.

Yno y gwelais y dystiolaeth gryfaf o garedigrwydd a chariad y natur ddynol ond nid yw hynny'n esgusodi dim ar y gweddill ohonom sy'n caniatáu i bethau aros fel hyn. Mewn un ysbyty, ar ôl bod mewn ward yn llawn o bobl heb ddim breintiau na hawliau sylfaenol elfennol gwylltiais a gofynnais, '*If you cannot do better than this, you may feel that the solution which Hitler advocated might be the humane answer.*' Duw a'n gwaredo rhag hynny, ond . . .

'Roedd pobl o amrywiol gefndiroedd yn gweithredu fel Comisiynwyr, gan gynnwys seiciatryddion, seicolegwyr, nyrsys, gweithwyr cymdeithasol, cyfreithwyr a chomisiynwyr lleyg. Dysgais lawer wrth gyfeillachu â hwy. Er enghraifft, ar y dechrau 'roeddwn yn bendant iawn fy ngwrthwynebiad i gloi claf anystywallt yn un o'r ystafelloedd a geir ym mhob ysbyty meddwl, y *seclusion rooms*. Cloir y claf yno hyd nes y bydd wedi sobreiddio digon i ddod allan i blith pobl eraill. Meddyg a'm perswadiodd fod hynny'n well na'i barlysu gyda chyffur, yn enwedig o gofio bod rhoi'r nodwydd iddo yn golygu ymrafael yn y lle cyntaf.

Fel Comisiynwyr 'roeddym yn ofalus iawn fod yr ystafelloedd neilltuo hyn yn gymwys a bod cofnodi manwl bob tro y byddid yn eu defnyddio. Yr un modd deuthum i dderbyn bod rhai achlysuron pryd y gallai ECT (triniaeth sioc drydanol) fod yn dderbyniol ac yn llesol.

Unwaith yn unig yr ymwelais â chlaf a oedd yn awyddus i gael *leucotomy*, sef dinistrio rhan o'r ymennydd. Cymerid gofal mawr fod pob agwedd o'r cais yn cael ei ystyried yn fanwl, gan nad oes dim y gellir ei wneud wedyn i helpu'r claf. Pe na byddai'r driniaeth yn llwyddiannus, ac yntau'n sylweddoli hynny, gallai'r anobaith a'i dilynai fod yn gwbl ddamniol. Yn yr achos arbennig hwnnw 'rwy'n cofio i mi fwrw fy mhleidlais o blaid y driniaeth.

Gwneuthum lawer iawn o gyfeillion tra bûm ar y Comisiwn. Yn anffodus, dechreuais gael trafferth gyda'r galon ac fe'm rhybuddiwyd nad oedd yn ddoeth parhau mewn swydd a chymaint o straen ynghlwm wrthi. Ni allwn wadu nad oedd gyrru i fyny ac i lawr yr M6 yn rheolaidd, a hynny mewn car nad oedd ganddo ots am gyflymder cyfreithlon, yn rhyw help mawr.

Bu'n rhaid cefnu ar gyfnod a roddodd lawer iawn o fwynhad i mi, cyfnod pryd y dysgais lawer a chyfnod a roes imi brofiadau a'm hanesmwythodd oherwydd difaterwch cymdeithas am hawliau pobl na allent fynnu'r hawliau hynny drostynt eu hunain.

Pledio, eiriol neu gyfryngu?

'Roedd dau gymal yn y weithred a gynhwysai Strategaeth Cymru ar gyfer pobl â nam meddwl nad oeddwn wedi rhoi rhyw lawer o sylw iddynt ond a oedd, fel y sylweddolais maes o law, yn dra phwysig.

Mae un cymal yn y ddogfen sy'n argymell sefydlu corff i weithredu fel cochl dros fudiadau gwirfoddol yn gofalu am fuddiannau pobl â nam meddwl. Rhoddai'r Strategaeth bwyslais mawr ar y rhan y dylai'r sector gwirfoddol ei chwarae yng ngweinyddiad y datblygiadau arfaethedig. Er bod MENCAP yn fudiad a oedd wedi chwarae rhan bwysig yn y maes, yn genedlaethol ac yn lleol, teimlai'r gweithgor y dylai fod sylfaen ehangach i'r ochr wirfoddol.

Sefydlwyd Cynhadledd Sefydlog yn cael ei hariannu gydag arian y Strategaeth dan yr enw SCOVO. 'Roeddwn yn aelod o'r corff o'r dechrau ac yn mynychu cyfarfodydd rheolaidd a gynhelid yng Nghaerdydd. Sylweddolais hefyd fod pwrpas arall i sefydlu'r corff hwn, pwrpas nad oedd yn amlwg ar yr olwg gyntaf ond a oedd yn sylfaenol bwysig i'r Strategaeth.

Mudiad a gychwynnwyd gan rieni oedd MENCAP, a chyfartaledd y rhieni ymhlith yr aelodaeth yn agos i gant y cant. Cymerodd gryn amser i mi sylweddoli fod gwahaniaeth sylfaenol rhwng anghenion rhieni ac anghenion eu plant. Fel cyfreithiwr, gwn o'r gorau na ellir gweithredu ar ran dau berson yr un pryd os oes croesdynnu rhwng y ddau. Sylweddolais mai prif nod y

Strategaeth oedd rhoi cyfle i bobl â nam gael eu hannibyniaeth a sylweddolais yr un pryd fod fy holl dueddiadau fel rhiant yn hollol i'r gwrthwyneb.

Fel tad Gwion, y mae arnaf eisiau ei warchod a'i gadw rhag bod mewn sefyllfa o berygl. Mae annibyniaeth yn iawn o ran athroniaeth ac o ran egwyddor ond naw wfft iddo pan fo fy mhlentyn i fy hun yn y fantol! 'Roedd rhai aelodau ar y gweithgor yn ddigon hirben i sylweddoli na allai MENCAP weithredu ar ran y bobl â nam ac ar ran y rhieni ar yr un pryd. Duw a ŵyr, mae gan rieni eu hanghenion ac mae'n rhaid iddynt wrth ladmerydd ond rhaid i anghenion eu plant gael cynrychiolaeth ar wahân.

Yn y cyfnod ar ôl cyhoeddi'r Strategaeth mynychais ddegau o gyfarfodydd i drin a thrafod yr athroniaeth newydd a sylweddoli fwyfwy nad oedd rhieni plant â nam yn fodlon o gwbl derbyn yr egwyddorion newydd. Dro ar ôl tro clywais y gri mai'r Cynghorau a ddylai fod yn gyfrifol am bopeth ac mai ein swyddogaeth ni oedd dweud beth oedd arnom ei eisiau.

Gwnaed ceisiadau ar i arian y Strategaeth gael ei ryddhau i ehangu'r ysgolion arbennig, ehangu'r canolfannau hyfforddi ac adeiladu hosteli newydd — dyheadau a oedd yn gwbl groes i ysbryd y Strategaeth. O safbwynt y rhieni 'roedd yr athroniaeth newydd yn gwbl annerbyniol, a rhai yn mynnu sôn am *the Welsh tragedy* yn lle *the Welsh strategy*.

Nid oedd y sefyllfa fawr gwell o safbwynt y Cynghorau a oedd i fod i gyflwyno cynlluniau i roi'r athroniaeth newydd ar waith. Gwrthodwyd cynllun ar ôl cynllun gan y Swyddfa Gymreig am ei bod yn amlwg nad oeddynt yn cydymffurfio ag egwyddorion y Strategaeth. Yn ystod y blynyddoedd cyntaf methwyd â gwario ond cyfran fach o'r arian a oedd ar gael. Ni waeth i mi gydnabod na pheidio, bûm yn rhyfeddol o ddigalon wrth ein gweld yn gwrthod cyfle euraid i weddnewid safle pobl â nam o fewn cymdeithas.

Mae'n siŵr bod rhan o'r digalondid ynghlwm wrth fy siom fod Cymru wedi cael cyfle i ddangos i weddill Prydain a'r byd y gallem, fel cenedl, roi esiampl ac arweiniad ond wedi gwrthod y cyfrifoldeb i wneud hynny. 'Roedd hyn eto'n dangos nad mynnu hawliau ond ysgwyddo cyfrifoldeb sy'n bwysig yn y pen draw.

'Rwy'n siŵr i mi gael syniad sut y teimlai Moses pan alwai'r hen genedl am gael dychwelyd i'r Aifft. O bryd i'w gilydd digwyddai rhywbeth a godai fy nghalon, megis gwrando ar yr Athro Mittler, un o'r gwŷr amlycaf yn y maes trwy'r byd, yn dweud mewn araith, gan sôn am y Strategaeth a chyfeirio at y ddogfen, *'This is a document of monumental importance in an European context,'* ac ymhellach ymlaen, *'People living outside Wales would give their eye teeth to be involved in what is contemplated.'* Diolch am ambell ddiwrnod heulog ac, wedi'r cwbl, 'roedd yr Antur yn datblygu.

Er na chytunai'r mwyafrif o bobl â'r Strategaeth ac er bod fy syniadau beunydd dan gabl 'roeddwn erbyn hyn yn bur amlwg yn y maes ar lwyfan go lydan. 'Roedd SCOVO yn weithredol ond 'roedd yn gyfnod anodd a chymharol ddi-fflach. Yna awgrymwyd imi gan un o swyddogion y Swyddfa Gymreig y dylwn gymryd y gadair, a dyna a wneuthum.

Golygodd waith caled ryfeddol. Am ran o'r cyfnod nid oedd swyddog gweinyddol cyflogedig ac 'roeddwn yn gyfrifol am y cofnodion ac am roi'r penderfyniadau mewn grym. Cofiaf un amser pan oeddwn yn gohebu â holl aelodau seneddol Cymru yng nghyswllt deddf yn ymwneud â phobl anabl. Ond cefais foddhad mawr ac fe lwyddwyd i berswadio'r Swyddfa Gymreig i ariannu SCOVO ar raddfa a'i gwnâi'n bosibl i'r corff weithredu'n effeithiol.

Cymal arall yn y Strategaeth nad oeddwn wedi rhoi llawer o sylw iddo oedd un yn datgan fod gan bobl â nam meddwl hawl i wasanaeth adfocatiaeth ac y dylai'r sector gwirfoddol ymgymryd â'r cyfrifoldeb o roi hyn ar droed.

Nid oeddwn erioed wedi gweld cyfeiriad at adfocatiaeth y tu allan i'm maes personol i fel cyfreithiwr ac fe gymerodd beth amser i mi sylweddoli arwyddocâd y datganiad. 'Roedd y cymal hwn eto ynghlwm wrth y weledigaeth fod gan bobl â nam meddwl eu hawliau ac nad eu rhieni ond rhywun annibynnol a ddylai fod yn eu cynorthwyo i wneud penderfyniadau ac, yn fy marn bersonol i, mewn rhai amgylchiadau, gwneud penderfyniadau trostynt.

Dros y blynyddoedd deuthum i sylweddoli mai'r rhieni mwyaf cariadus all fod y gelynion pennaf i blant â nam. Mae ar Gwion angen rhywun i siarad a gweithredu drosto yn fy erbyn i oherwydd bod fy ymlyniad i wrtho'n peri na allaf fod yn wrthrychol ynglŷn â'i wir anghenion.

Mae'n naturiol i rieni, yn gyffredinol, ystyried eu plant fel ymestyniad ohonynt hwy eu hunain. I rieni plant â nam mae'r ymdeimlad hwn yn llawer dwysach. Nid oes gan rieni fawr o obaith i rwystro'u plant rhag dilyn eu trywydd eu hunain a thorri llinynnau'r barclodiau ar ôl cyrraedd eu harddegau, ond os oes nam ar y plentyn nid yw hynny'n digwydd, ac felly, os yw'r plentyn i gael annibyniaeth rhaid i'r rhieni eu hunain dorri llinyn y barclod — gweithred sy'n gwbl groes i'w holl gyneddfau ac, yn wir, gweithred na allant ei hwynebu heb lawer o gymorth.

Yr un pryd ag y cymerais gadair SCOVO 'roeddwn yn brysur iawn fel Comisiynydd Iechyd Meddwl ac wedi magu digon o hyder a phrofiad i gondemnio sefyllfaoedd mewn ysbytai lle teimlwn y gellid gwella pethau. Sylweddolais fod adroddiadau'r Comisiynwyr yn cael effaith a bod ymweliad ag ysbyty ac archwiliad yn sicrhau bod mwy o sylw'n cael ei roi i hawliau dynol y rhai na allai siarad trostynt eu hunain. Sylweddolais y gallai cynllun adfocatiaeth sicrhau bod rhywun ar gael i gynrychioli'r claf a gweithredu ar ei ran mewn sefyllfaoedd lle byddai'r gofalwyr swyddogol yn rhwym o weithredu polisi eu cyflogwyr ac yn methu â bod yn annibynnol.

Penderfynodd SCOVO sefydlu gweithgor i ystyried y sefyllfa ac, yn nghyflawnder amser, cyhoeddwyd dogfen yn cymeradwyo adfocatiaeth fel egwyddor y dylai'r cyrff gwirfoddol ei hystyried. 'Roeddwn yn bendant o'r farn erbyn hyn mai wrth hybu cynlluniau o'r fath y gellid datblygu'r Strategaeth ei hun. Pe byddai'n bosibl i bobl â nam gael cynrychiolwyr i ddadlau eu hachos byddai gobaith sefydlu eu hannibyniaeth. Yn gyffredinol, rhieni oedd yn cynrychioli'r sector gwirfoddol pan drafodid anghenion plant a phobl â nam yn y Cynghorau. Gwelwn yr angen am adfocatiaeth yng nghysylltiad rhieni â'u plant ac ar bwyllgorau lle'r ystyrid gwasanaethau ar gyfer pobl â nam ond, yn bwysicaf oll, mewn ysbytai.

Yno y cedwir nifer fawr o bobl â nam heb i neb ofyn

iddynt a ydynt yn dymuno bod yno. Duw a ŵyr faint sydd wedi bod yn aros am flynyddoedd lawer heb neb o'r tu allan yn meddwl nac yn cofio dim amdanynt. Gwir fod nyrsys a gwasanaethyddion eraill yn dangos cariad rhyfeddol atynt ond cariad o fewn hualau ydyw, gan fod y bobl hynny yn gyflogedig gan awdurdodau iechyd. Mae eu cariad wedi ei lyffetheirio gan eu bod yn rhwym o ofalu yn ôl rheolau.

Fel y nodais, mae'r Strategaeth yn pwysleisio mai'r sector gwirfoddol a ddylai weinyddu cynlluniau adfocatiaeth. Mae'r eglurhad yn syml: rhaid i'r adfocatiaid fod yn gwbl annibynnol fel na all yr awdurdodau statudol sy'n gofalu am y person â nam ddylanwadu na dwyn pwysau arnynt. Yn yr un modd, rhaid i'r adfocatiaid fod yn rhydd oddi wrth bwysau o du rhieni neu warchodwyr eraill.

Cofiaf fynd i'r Swyddfa Gymreig i ddadlau dros ariannu cynllun ym Mryn y Neuadd. Ar y pryd 'roeddwn yn bur adnabyddus yno ac 'roedd aelodau'r Panel Ymgynghorol a wrandawai fy achos wedi bod yn Antur Waunfawr ac wedi canmol yn arw. Methais â'u perswadio, a chofiaf fy mod yn hynod o isel fy ysbryd. I mi, 'roedd y cais yn eithriadol o bwysig ac fe fyddai ei ganiatáu wedi gosod cynsail i ddatblygu adfocatiaeth mewn ysbytai, ac wedi hynny, yn y gymuned. Erbyn hyn 'roeddwn wedi dod i gredu bod adfocatiaeth yn sylfaenol allweddol i ddyfodol y Strategaeth oll.

Yn y cyfnod hwnnw bûm yn siarad mewn nifer o gyfarfodydd i geisio hyrwyddo adfocatiaeth. Yn ddiddorol, efallai, 'roedd un cyfarfod y bûm yn ei annerch mewn ysbyty yn Ne Lloegr ac wrth gael fy nhywys gan nyrs ar hyd un o'r coridorau tynnodd fy sylw at wraig a oedd yn gyfnither i'r fam frenhines. Ni thybiwn ei fod yn fater o bwys anghyffredin ond dadlennwyd y ffaith a'i chyhoeddi ar led yn y papurau poblogaidd rai blynyddoedd yn ddiweddarach. Rhaid dweud bod graen arbennig ar yr ysbyty hwnnw.

Collwr sâl ydwyf ac ni fedrais anghofio'r cynllun ar gyfer Bryn y Neuadd. Tua'r adeg yma gwahoddwyd fi i fod yn aelod o Banel Ymgynghorol y Swyddfa Gymreig o dan y Strategaeth; penodiad na roddodd ryw lawer o bleser imi ond ei fod yn fy rhoi mewn cysylltiad â swyddogion y Swyddfa Gymreig. Daeth criw ohonom ynghyd unwaith yn rhagor a gofynnwyd i'r Swyddfa Gymreig ariannu cynllun adfocatiaeth ym Mryn y Neuadd. Bu trafod am amser maith ond, yn y diwedd, caed addewid am ddigon o arian i roi cynnig arni. Ond yn wir 'roedd fel ceisio cael gwaed o garreg.

Galwyd cyfarfod cyhoeddus ac fe sefydlwyd Cymdeithas Cynghori a Phledio Cynghorol Clwyd a Gwynedd. Hyd yma nid wyf wedi cael fy modloni gydag unrhyw gyfieithiad o'r termau *advocacy* nac *advocate*. Defnyddir 'eiriolwr' a 'lladmerydd' ond nid ydynt yn cyfleu'r hyn a fynnwn. Dewisais ddefnyddio'r term 'plediwr' ond un sâl yw hwnnw hefyd. Erbyn hyn fy nhuedd yw defnyddio'r termau Saesneg a'u Cymreigeiddio. Fe'm hetholwyd yn Gadeirydd y Gymdeithas ond anniddorol fyddai trafod yr holl fanylion; digon yw cofnodi i ni lwyddo i gael digon o arian i gyflogi dau adfocat proffesiynol a rhoddwyd y cynllun ar waith.

Yn ffodus iawn cawsom gydweithrediad llwyr Awdurdod yr Ysbyty ac mae'n deg talu teyrnged i waith

Dr Peter Woods a fu'n gyfrifol am hwyluso'r ffordd. Un o'r ffactorau pwysicaf ynglŷn â'r cynllun yw ein bod wedi dod i gytundeb gyda'r Awdurdod sy'n rhoi hawl i'r adfocatiaid proffesiynol ymweld â holl wardiau'r ysbyty yn ddilyffethair ac archwilio dogfennau personol unrhyw berson yn yr ysbyty.

Erbyn hyn cydnabyddir yr adfocat fel person a chanddo gyfraniad hanfodol pan wneir penderfyniadau yn ymwneud ag unigolion a gedwir yn yr ysbyty. Ymwelir yn ddyddiol â gwahanol wardiau a thynnir sylw at unrhyw beth sy'n tanseilio hawliau dynol yr unigolyn.

Llwyddwyd i sbarduno'r ysbyty i newid llawer ar y ffordd y mae'r gwasanaeth yn cael ei weithredu, a chredwn fod y cynllun yr un mwyaf blaengar sydd ar gael. O ystyried yr hyn a gyflawnwyd ym Mryn y Neuadd, ysbyty a oedd yn gymharol newydd a lle'r oedd, yn fy marn i, agweddau eithaf goleuedig yn cael eu meithrin eisoes, gallai cynlluniau tebyg mewn ysbytai mwy traddodiadol fod yn fendithiol ryfeddol. Eisoes mae cynlluniau ar droed gan y Gymdeithas i ddatblygu adfocatiaeth ar yr un egwyddor yn y gymuned yng Ngwynedd, gyda'r gobaith y bydd pob person â nam, maes o law, yn cael cymorth rhywun annibynnol i'w gynghori a'i gynrychioli.

Tybed a fydd adnoddau ar gael i roi'r cynlluniau ar waith? Tybed a oes modd ennyn digon o ddiddordeb cyffredinol mewn sefyllfa sy'n effeithio ar garfan gymharol fechan o'r boblogaeth yn unig? Tybed a fydd ots gan yr rhelyw fod bywydau rhai pobl yn cael eu trefnu a'u rheoli heb i'r bobl hynny fod â llais yn yr hyn sy'n digwydd iddynt?

Cefais i, yn bersonol, lawer o sylw ar gorn Antur

Waunfawr ond pe bai'n rhaid imi ddewis pa ddatblygiad yw'r un pwysicaf y bûm ynglŷn ag ef credaf y dewiswn gynllun Bryn y Neuadd. Hwnnw yw'r un a all osod cynsail i ddatblygiadau a all roi'r budd mwyaf i bobl â nam meddwl. Cnewyllyn sydd yma o'r hyn a allasai newid agwedd pobl yn sylfaenol a hyrwyddo trefn newydd yn unol â deisyfiadau pobl â nam yn hytrach na breuddwydion pobl eraill sydd â'u bysedd yn y cawl.

Erbyn hyn mae'r Strategaeth wedi dathlu ei degfed pen-blwydd, a'r Llywodraeth, wrth ystyried ei dyfodol, yn canmol pawb am yr hyn a gyflawnwyd. Yn anffodus, ni allaf ymuno yn y gorfoleddu. Bu'r Swyddfa Gymreig yn gofyn yn daer iawn am farn gwahanol gyrff ac unigolion am y modd y datblygodd gwasanaethau i bobl â nam yn ystod deng mlynedd cyntaf y Strategaeth ac yn gofyn am eu hawgrymiadau ar gyfer y dyfodol.

Efallai mai doethach fuasai imi fod wedi cymryd rhan yn y clodfori a'r canmol; o leiaf, byddai'n garreg fantais i unrhyw awgrym o'm heiddo yn y dyfodol. Fodd bynnag, er gwell neu er gwaeth, ceir rhai adegau pryd na allaf gau fy ngheg, ac mewn cyfarfod o'r Panel Ymgynghorol yn y Swyddfa Gymreig, gydag Is-ysgrifennydd Cymru'n bresennol, dywedais fy marn am yr hyn a wnaed yn enw'r Strategaeth. Haerais fod naw deg y cant o'r arian a neilltuwyd i ddatblygu'r Strategaeth wedi'i gamwario oherwydd mai i gynnal a datblygu gwasanaethau ar yr hen batrwm y'i gwariwyd. Cyfeiriais at yr argymhellion a ddôi o du'r Swyddfa Gymreig ynglŷn â phwysigrwydd gwagio'r ysbytai. Cytunaf gant y cant nad mewn ysbytai y dylai pobl â nam meddwl gael eu cartrefu yn y lle cyntaf ond ffwlbri noeth yw dod â phobl yn ôl i gymdeithas heb fod paratoadau priodol wedi eu gwneud ar eu cyfer. Pan oeddwn yn y Gweithgor a drefnai'r Strategaeth cofiaf i ni fod yn ystyried y sefyllfa ac, yn hollol sinigaidd ond efallai'n bragmataidd, yn anwybyddu'r broblem gan dybio y byddai treiglad amser yn ei datrys. Yr oeddym, yn naturiol, yn gobeithio y byddai'r cyfleusterau yn y gymuned wedi datblygu cymaint yn ystod cyfnod y Strategaeth fel y gallem roi ystyriaeth i'r rhai oedd yn yr ysbyty ond nid oedd hynny'n un o'n blaenoriaethau.

Erbyn hyn, mae'n amlwg mai ailgartrefu'r bobl sydd yn yr ysbyty a gaiff y flaenoriaeth. Mae arnaf ofn ym mêr fy esgyrn mai mater o economi yw hyn. Yn sicr, collwyd golwg ar y nod o annibyniaeth a bydd y nifer enfawr o bobl â nam sy'n byw gyda'u rhieni yn gorfod parhau i wneud hynny.

'Roedd un o'r gweision sifil a fu'n gweinyddu'r Strategaeth yn wallgo bost hefo mi ac ymosododd yn chwyrn arnaf ar ôl y cyfarfod. Clywais hefyd fod llawer o gondemnio arnaf oherwydd yr erthyglau a ysgrifennais i wahanol gylchgronau, a gwn fy mod yn cael fy adnabod yn fy nghefn fel 'that Welsh Strategy Maverick'. Nid oes neb hyd yma wedi ateb fy haeriadau.

Ni allaf ac ni fynnwn geisio cuddio fy anniddigrwydd. Mae'r ddelfryd aruchel wedi'i gwanio i'r fath raddau fel bod fy ngobaith o weld Cymru'n dangos y ffordd ymlaen wedi pylu. Collwyd cyfle unigryw i weithredu athroniaeth newydd a fyddai wedi trawsnewid ffordd o fyw pobl â nam meddwl ac wedi dod â llawer o fendithion i weddill cymdeithas. Collodd Cymru'r cyfle i'w rhoi ei hun ar flaen y gad a dangos ffordd amgenach i genhedloedd eraill.

Yn ystod y deng mlynedd y bu'r Strategaeth mewn bod

daeth yn faes chwarae i nifer fawr o academyddion, a chynhaliwyd cyfarfodydd dirifedi ar ffurf cynadleddau, seminarau, cyngresau, gweithgorau a phwyllgorau o bob math. Cynhyrchwyd adroddiadau wrth y dunnell, gyda'r cymhellion gorau ond gan anghofio mai 'wrth eu ffrwythau yr adnabyddwch hwynt'. Yn rhyfedd iawn, cafodd yr Americanwyr a ymddiddorai yn y maes gryn sylw ac fe ddaeth yn ffasiwn i ddilyn arweiniad a oedd, ar adegau, yn amheus iawn. Ond amheus neu beidio, 'roedd yn ffactor a dynnodd ein sylw oddi ar wir bwrpas y Strategaeth.

Y canlyniad yw ein bod bellach yn rhoi pwyslais ar ailarbenigo pobl â nam meddwl. Pwysleisir eu hawl i fod ar bwyllgorau a bod yn bresennol mewn cyfarfodydd lle nad oes obaith iddynt gymryd rhan o unrhyw bwrpas. Gwneir ymdrechion i sefydlu pobl â nam mewn gwaith nad oes modd iddynt ymdopi ag ef dim ond dibynnu ar ewyllys da a thrugaredd cyflogwyr sy'n fodlon eu cario. Yn fy marn i, mae'r agwedd nawddoglyd hon yn wrthun ac yn gwneud cam â phobl. Ni allaf dderbyn y sefyllfaoedd ffug sy'n cael eu datblygu a'u hariannu.

Mae gan bobl â nam, fel pawb arall, hawl i gael eu derbyn yn naturiol yn y gymdeithas, nid eu gosod ar lwyfan fel modelau i arddangos gwychder yr ymdrechion a wneir ar eu rhan. Gwn fy mod yn swnio'n sur a chwerw, ond dyna fy nheimlad. Hen ŵr siomedig.

Dysg im edrych i'r . . .

Sylweddolaf fod y rhan fwyaf o'r hyn a ysgrifennais yn troi o gwmpas Gwion, ac felly teg i chwi gael gwybod beth yw ei hanes erbyn hyn. Fel y soniais, cymerodd ei le yn frenin y teulu ond peidied neb â meddwl na wnaeth Mary a minnau bopeth yn ein gallu i ofalu bod Sioned yn mwynhau bywyd cystal ag y medrai dan yr amgylchiadau.

Yn fuan wedi i ni gael gwybod beth oedd cyflwr Gwion daeth un o'r teulu brenhinol i ymweld â chastell Caernarfon. I rai pobl 'roedd yr amgylchiad hwn o'r pwys mwyaf, a chael gwahoddiad i'r castell yn golygu llawer iddynt. Cofiaf fel y bu i un o swyddogion y Cyngor Sir sori'n bwt am na chafodd ei wraig wahoddiad i'r cyfarfod croesawu a minnau'n troi at Inigo a dweud, 'Nefoedd fawr, 'dydi hi'n braf arno fo'n medru poeni am rywbeth fel'na.' Cofnodaf y digwyddiad er mwyn tanlinellu sut y gall ergyd fawr, ysgytwol roi rhywun ar ben y ffordd ynglŷn â'r hyn sy'n cyfrif mewn bywyd.

Yr oeddwn, wrth gwrs, yn awyddus i Sioned wneud yn dda yn yr ysgol ac yn ei bywyd ond ni phryderwn faint o lefelau O ac A a gâi yn ei harholiadau. Mwy na digon oedd gwybod ei bod yn iawn ac yn iach. Fel mae'n digwydd, fe wnaeth yn dda yn yr ysgol ac wedi hynny yn y coleg.

Ymfalchïwn ynddi yn ystod cyfnod prysur Cymdeithas yr Iaith, er y byddai ar Mary ofn gwylio'r teledu pan roddid sylw i ryw brotest neu'i gilydd gan y byddem yn sicr o'i gweld yn rhy amlwg o lawer. Deallaf ei bod yn cael ei chydnabod yn athrawes dda ond, yn bwysicach o lawer, priododd John, sy'n fab yng nghyfraith delfrydol, ac mae Daron, Elan a Rhean yr anwylaf o blant ac yn llonni bywyd eu nain a'u taid. Daw Sioned a'i theulu â llawenydd mawr i ni ac mae'n fater o falchder bod Gwion yn cael ei drin mor naturiol ganddynt. Mae ganddo yntau feddwl y byd o'i chwaer, a John yw ei arwr mawr.

Fel y tyfai Gwion 'roedd ei allu dinistriol hefyd yn datblygu ac, yn rhyfedd iawn, pan fyddai'n rhwystredig ymosodai ar y pethau yr oedd ganddo fwyaf o feddwl ohonynt. Tueddai hefyd i efelychu'r hyn 'roedd eraill yn ei wneud. Daeth o'r ysgol rhyw ddiwrnod yn gwaredu fod un o'i gyd-ddisgyblion wedi malu ffenestr. Sylwais ar y ffordd yr adroddai'r hanes a dywedais wrth Mary, 'Wyddost ti be, mae Gwion yn meddwl bod y bachgen 'na dorrodd y ffenest yn dipyn o foi.' Cyn nos, yr oedd yntau wedi malu un o ffenestri mwyaf y tŷ. Ni allem ei berswadio i beidio â gweithredu'n groes i'w fuddiannau ei hun. Buom yn ceisio cymorth o lawer man, a bu am gyfnodau yn Ysgol Treborth, yn Ysbyty Bryn y Neuadd, yng Nghanolfan Segontiwm a Hostel Maesincla, Caernarfon ac yn Hostel Park Mount, Llangefni.

Peidied neb, fodd bynnag, â meddwl nad oedd ochr arall i'w gymeriad. Gallai fod yn hynod o annwyl ac ni ddymunwn neb gwell nag ef i fod gyda mi'n mynd am dro yn y car. Pan oedd yn ifanc byddai'n cystadlu yn yr Eisteddfod yn y Waun a byddai'n mynychu'r Ysgol Sul. O sôn am yr Ysgol Sul, cofiaf un cyfnod yn ei fywyd pan fyddai byth a hefyd yn dweud, 'Mae'r byd yn fawr yn 'tydi?' yn enwedig pan fyddai'n bosibl gweld ymhell. Dywedodd hyn wrth ei athrawes Ysgol Sul, Miss Eirlys

Jones, a chymerodd hithau'r cyfle i geisio rhoi rhywfaint o wybodaeth ddiwinyddol iddo, ac meddai, 'Ydi mae o, Gwion. Wyddost ti pwy wnaeth y byd?' Daeth diffyg dylanwad crefyddol ar yr aelwyd i'r amlwg a dywedodd Gwion nad oedd yn gwybod. 'Wel,' meddai Miss Eirlys Jones, 'Iesu Grist wnaeth y byd, Gwion.' Pendronodd Gwion cyn dweud, 'Mi gafodd o uffar o job yn do?'

Erbyn hyn ni ellir perswadio Gwion i fynd i gapel, dim ond pan fydd gwasanaeth claddu yno! Mae wrth ei fodd yn mynd i gynhebrwng, a'i gwestiwn cyntaf pan welaf ef ar y Sul yw, 'Oes 'na rywun wedi marw wythnos yma, Gwynn?' Daw sôn am farw â stori arall i'm cof. 'Roedd Gwion a minnau ar un o strydoedd Lerpwl yn disgwyl i Mary ddod allan o ryw siop pan gefais bwl drwg o asthma. Pan welodd Gwion fi'n ymladd am fy ngwynt mae'n amlwg iddo ddychryn, ac ymbiliodd arnaf, 'Paid â marw *rŵan*, Gwynn!'

Mae'n amlwg ei fod yn pendroni llawer ynghylch ei ddyfodol ac yn sylweddoli bod Mary a minnau'n debygol o'i ragflaenu. Erbyn hyn mae Mary'n dioddef o glefyd Parkinson, a phan welaf Gwion bydd yn gofyn, bron yn ddieithriad, sut mae ei fam. Yn aml iawn hefyd bydd yn gofyn pa mor hen ydym a pha mor hen yw pobl yn marw ac, yn naturiol, mae ei boendod am y pethau hyn yn peri gofid mawr inni.

Yn ddiweddar cefais dipyn o helynt gyda'r galon a bûm yn Ysbyty Broadgreen, Lerpwl yn cael *pacemaker*. 'Roedd Gwion yn fawr ei gonsárn ac eisiau gwybod popeth oedd yn digwydd. Rhyw bythefnos yn ddiweddarach 'roedd yn y tŷ gyda'i fam, a minnau wedi mynd i hel fy nhraed. 'Mary,' meddai (bydd yn ein galw wrth ein henwau bedydd yn amlach na pheidio) 'pa bryd ydach chi'n mynd i farw?' Atebodd hithau trwy ddweud nad oedd yn gwybod, gan ychwanegu na ŵyr neb pa bryd y mae'n mynd i farw. 'Wneith Dad ddim marw,' meddai Gwion, 'mae ganddo fo fatri rŵan!'

'Roedd Mary a minnau'n boenus iawn ynglŷn â'i ymddygiad ac mewn cyfweliad â Dr Peter Woods, seicolegydd sydd bellach yn bennaeth yr adran gwasanaethau meddygol i bobl â nam meddwl yng Ngwynedd, cawsom ein perswadio i adael iddo fynd i aros i Hostel Park Mount, Llangefni, ar y dealltwriaeth na fyddai'n dod adref ond unwaith y mis, a hynny am ddwyawr yn unig. Yn bwysicach fyth, ac yn anos i'w dderbyn, 'roedd cytundeb, sef, pe byddai Gwion yn dinistrio unrhyw beth, yna, ni fyddai'n cael unpeth arall i gymryd ei le.

Daeth amser pan nad oedd ganddo ddim mwy na gwely yn ei ystafell yn Park Mount a chlywais iddo un diwrnod erfyn am gael *safety pin* i ddal ei drowsus. Ond dysgodd y wers fod pob gweithred yn esgor ar ganlyniadau nad oedd modd eu hosgoi. Bydd gennym le i ddiolch byth am i rywun gymryd cam a fuasai wedi bod yn amhosibl i ni ei gymryd.

Pan sefydlwyd Antur Waunfawr penderfynais na châi Gwion ddod yno i weithio. Ar ôl bod trwy'r gwewyr o'i anfon i Langefni, a oedd i bob pwrpas yn gyfystyr â'i droi dros y trothwy, ni fynnwn ddad-wneud yr hyn a gyflawnwyd. Pe dôi i weithio gyda'r Antur byddai ar garreg ein drws ac yn debygol o geisio dod i Fryn Eithin bob munud. Credaf fod Mary a minnau'n ymwybodol hefyd y byddem mor agos i'r man y gweithiai fel y byddai'n demtasiwn i ninnau fynd i'w weld yn aml a gofalu na châi gam. Ar ôl rhoi annibyniaeth iddo y peth diwethaf a fynnem oedd tynhau llinyn y barclod unwaith yn rhagor.

Cyfarwyddwyr yr Antur a'n gorfododd i newid ein penderfyniad. Teimlent mai chwithig iawn oedd bod pawb ond ein plentyn ni yn cael cyfle i ddatblygu a phwysleisiwyd mai annheg â Gwion oedd ei rwystro.

Yn y diwedd trefnwyd bod tacsi yn ei gyrchu o Langefni i'r Waun un diwrnod yr wythnos ac y byddai Mr Hywel Evans, y Gweinyddwr, yn cadw golwg manwl ar ei ymateb yn ogystal â'n hymateb ninnau. 'Roedd Gwion ei hun yn ymwybodol o'r rheolau ac yn awyddus iawn i ddod i weithio i'r Waun. Felly y bu ac fel yr âi'r amser rhagddo aeth un diwrnod yn ddau ac yn dri hyd nes ei fod, maes o law, yn gweithio i'r Antur trwy gydol yr wythnos.

Daeth Mr Hywel Evans atom un diwrnod a dweud ei bod yn bryd i Gwion ddechrau dod i'w waith ar y bws. 'Roedd hynny'n dipyn o sioc, yn enwedig gan fod Mary a minnau'n credu'n bendant nad oedd yn ddigon cyfrifol i groesi'r ffordd fawr ar ei ben ei hun. Ond sicrhawyd ni y byddai'n cael ei ddysgu i ddefnyddio trafnidiaeth gyhoeddus. Ac felly y bu. Dysgwyd ef i ddal y bws chwarter wedi saith yn y bore o Langefni i Fangor, newid ym Mangor a dal bws i Gaernarfon, ac yna dal y bws i Waunfawr o Gaernarfon. Yn gynt nag y buasai neb yn ei gredu gwnâi'r siwrnai ar ei ben ei hun a dychwelyd i Langefni ar ôl diwrnod gwaith gan newid o un bws i'r llall yng Nghaernarfon a Bangor.

Yn naturiol, 'roeddwn yn falch iawn ei fod wedi dysgu defnyddio'r bws mor sydyn, ond un diwrnod digwyddwn fod yn yr Antur fel y cyrhaeddai'r bws o Gaernarfon. Nid oedd Gwion arno. Aed ar y ffôn i Langefni a chlywed ei fod wedi gadael yn ôl ei arfer. Sylweddolais ei fod wedi colli'r cyswllt, un ai ym Mangor neu yng Nghaernarfon, a dychmygwn bob math o bethau. Gallai fod wedi dal bws i rywle arall neu gallai fod yn cerdded yn ddiamcan yn rhywle. Rhuthrais am y car ac i lawr i Gaernarfon i holi a wyddai rhywun rywbeth o'i hanes, ond yn ofer, ac nid oedd golwg ohono yn unman. Cyn mynd ymlaen am Fangor ffoniais yr Antur. Na, nid oedd wedi cyrraedd ond cyn terfynu'r sgwrs gwaeddodd rhywun ei fod yn cerdded ar hyd y ffordd i gyfeiriad yr Antur. Sôn am ryddhad! Ie, rhyddhad, ond mwy na hynny, sylweddoli ei fod wedi dysgu gwneud ei ffordd ei hun mewn sefyllfa nad oedd ef na ninnau wedi ei rhagweld.

Fis neu ddau yn ddiweddarach, tua phedwar o'r gloch ar brynhawn Gwener 'roedd Mary a minnau ar y Maes yng Nghaernarfon ac, er ein syndod, gwelem Gwion yn cario bag ac yn sefyll yn disgwyl bws am Waunfawr. Gwyddem nad oedd yn gweithio'r diwrnod hwnnw am ei fod yn mynd at y deintydd yn Sir Fôn. Rhedais ato a gofyn, 'Ble 'rwyt ti'n mynd?' 'I'r Antur,' atebodd. 'Ond mae'r Antur wedi cau erbyn hyn,' meddwn innau. 'Mae gen i isio fy wejus,' meddai. Oedd, 'roedd yn ddydd Gwener!

'Roedd pob digwyddiad o'r fath yn gymorth i sylweddoli bod Gwion, trwy fod yn annibynnol, yn magu mwy a mwy o hyder i ddelio ag anawsterau na ellid eu rhagweld. Un nos Fercher digwyddodd rhywbeth a danlinellai hyn un waith ac am byth. 'Roedd Mary'n siarad â Gwion ar y ffôn tuag wyth o'r gloch y nos a

gofynnodd iddo, 'Wyt ti'n barod i fynd i dy wely rŵan?'
Atebodd yntau, 'Na 'rydw i'n mynd i'r Octagon.' Clwb
nos ym Mangor yw'r Octagon, a throdd Mary ataf a
dweud bod Gwion yn rhamantu. Chwarddodd y ddau
ohonom, ond Gwion oedd yn iawn. 'Roedd wedi
sylweddoli bod y *Rover Ticket* a brynai ar fore Llun i fynd
a dod i'w waith yr un mor effeithiol gyda'r nos. Daliodd
y bws hanner awr wedi wyth o Langefni i Fangor, aeth
i'r Octagon ac aeth adref mewn tacsi am un o'r gloch y
bore. Ar ôl hynny gwyddem nad oedd angen poeni am
ei hynt a'i helynt!

Er fy mod i wedi mynd a dod o'r Waun i Langefni yn
ddyddiol am flynyddoedd pan oeddwn gyda Gordon-
Roberts & Co. 'roedd yn amlwg nad oedd yn deg disgwyl
i Gwion wneud yr un siwrnai ar y bysys bob dydd am
weddill ei oes. 'Roedd dau o weithwyr eraill yr Antur ar
y pryd yn awyddus i adael cartref a byw yn fwy
annibynnol. Llwyddwyd i rentu dau dŷ cyngor ochr yn
ochr, a drws rhyngddynt, yng Nghae'r Saint, Ysgubor
Goch, Caernarfon.

Mae'r Antur yn cyflogi gofalwyr i gadw llygad ar y
gweithwyr ond dyna'r cyfan a wnânt. Mae Gwion a'i
bartneriaid yn gorfod gofalu amdanynt eu hunain i'r
graddau mwyaf posibl. Maent yn byw bywyd llawn ac
yn mwynhau eu hunain. Daw Gwion i Fryn Eithin i gael
cinio ar ddydd Sul a mynd am dro yn y car ar hyd y Foryd
ond cyn gynted ag y bydd wedi cael te bydd yn awyddus
i fynd 'adref'. Mae'n bur amharod i ddweud ei hanes
wrthym ond, o dro i dro, bydd rhywrai'n dweud eu bod
wedi'i weld yn rhywle neu'i gilydd. Er enghraifft, clywsom
ei fod mewn parti Nos Galan yng Nglangwna, Caeathro.

Ie, *Buffet dance*, a'r tocynnau yn bymtheg punt! Wrth holi, clywsom ei fod yn ei fwynhau ei hun yn hollol naturiol, yn bwyta, yn yfed a dawnsio. Am chwarter wedi hanner nos daeth tacsi i'w gyrchu a mynd ag ef i dŷ lle bu mewn parti arall tan hanner awr wedi dau. Beth well? Ond beth a ddywedai'r neiniau a'r teidiau?

Ni allaf wadu fy mod yn poeni amdano'n aml. Felly y bydd mae'n siŵr ond credaf i ni wneud y gorau o'r gwaethaf. Ie, gwneud y gorau o'r gwaethaf ydyw, mae arnaf ofn, er iddo ddysgu cymaint imi.

Tybed sut fywyd a fuasem wedi'i gael pe bai'r hyn a ddigwyddodd heb ddigwydd? Anaml y byddaf yn gadael i'm meddwl grwydro i'r cyfeiriad hwn ond, o bryd i'w gilydd, pan fydd Gwion yn dangos rhyw allu rhyfeddol, anesboniadwy teimlaf ryw rwystredigaeth affwysol wrth feddwl a meddwl a meddwl beth y gallasai fod wedi'i gyflawni pe byddai'r hyn y dylasai fod.

Pen ar y mwdwl

Rhybuddiais yn y Rhagair mai atgofion un yn edrych yn ôl dros gyfnod maith yw'r hunangofiant hwn ac, yn wir, yr wyf wedi hen oddiweddyd oed yr addewid. Dywedir y drefn wrthyf yn aml am fy mod byth a beunydd yn tueddu i gyfeirio at fy henaint ac fe'i caf yn anodd deall beth yw'r cymhelliad i wneud hynny. Soniais eisoes i mi gael bywyd diddorol a llawn ac 'rwyf yn parhau i fod ag ofn gwastraffu munud o'm hamser ac yn fwy felly fel y mae'r amser hwnnw'n prinhau.

Nid oes gennyf amynedd i ddisgwyl wrth neb na dim ac 'rwy'n ymwybodol fod arnaf eisiau i bopeth gael ei wneud ddoe. Ni lwyddais erioed i ymlacio. Dylaswn, mae'n siŵr, fod wedi mynd ar gwrs Yoga neu fyfyrdod trosgynnol ond 'doedd gen i mo'r amser! 'Wn i ddim sut y llwyddodd Mary i fyw hefo fi. Mae'n rhaid i mi fod wrthi'n gwneud rhywbeth ar hyd yr adeg. Pan oeddwn dan bwysau mwy nag arfer wrth fy ngwaith beunyddiol ac yn dod adref yn hwyr iawn, ac wedi ymlâdd, ni allwn ymlacio wrth eistedd i lawr. 'Roedd yn rhaid i mi fynd ati i wneud rhywbeth arall. 'Newid gwaith sy'n well na gorffwys,' meddai nain, ac, yn fy achos i beth bynnag, 'roedd yn hollol gywir. Dyna pam, mae'n debyg, i mi droi fy llaw at gynifer o wahanol bethau. Y drwg oedd fod pob un o'r rhain yn datblygu i fod yn waith!

Am gyfnod bûm yn fy nifyrru fy hun wrth wneud gwaith coed, gan ddechrau hefo *lathe* nes meistroli'r grefft yn ddigon da i gynhyrchu llawer mwy o bowlenni nag a wyddwn beth i'w wneud â hwy. Yna penderfynais wneud rhywbeth defnyddiol a bûm mewn ysgol nos yn gwneud dodrefn tŷ a ddaeth yn ddigon defnyddiol. Bûm yn cadw ieir a gwneuthum gwt o gryn faintioli ar eu cyfer, yna sied sy'n parhau i fod yn ddefnyddiol iawn.

'Doedd gen i ddim syniad sut i 'ddroinio' pan oeddwn yn yr ysgol ac 'roedd hynny mewn cyfnod pan na roddid rhyw lawer o bwys ar y gelfyddyd. Cymerais yn fy mhen y byddai mynd i ddosbarth nos i ddysgu paentio yn ffordd o ymlacio ac, yn gynt nag y buaswn wedi'i ddychmygu, 'roedd yr athro'n dechrau canmol fy ymdrechion. Ar y dechrau tybiwn mai ceisio calonogi disgybl hollol anobeithiol yr oedd. Fodd bynnag, dechreuais gael blas ac, yn wyrthiol bron, 'roedd pobl yn fodlon talu arian am yr hyn a gynhyrchwn. Fe beidiodd paentio â bod yn hobi.

Dechreuais ymhel â gwneud gwin gyda chryn lwyddiant ac 'rwy'n parhau i ymarfer yr hobi honno er fy mod yn ofni nad ymlacio yn ei ffurf buraf yw'r cymhelliad!

Yna daeth rhyw ymdeimlad y dylwn, fel Cymro, fod yn gwybod rhywbeth am reolau cynghanedd. Trwy fawr ymdrech, a minnau mewn tipyn o oed, llwyddais i gael 'rhyw grap ar y llythrenne'. Wedyn 'roedd rhaid profi i mi fy hun fy mod wedi llwyddo ac 'roedd cael gwobr am ambell englyn yn rhoi boddhad mawr i mi ac wrth gwrs ni adawaf i neb anghofio fy mod yn aelod o dîm Talwrn y Beirdd Waunfawr a gyrhaeddodd y prawf terfynol yn 1992!

O safbwynt boddhad personol mae hefyd yn bwysig rhoi ar gof a chadw i mi lwyddo ar sawl achlysur i gael englynion i'r dosbarth uchaf yn yr Eisteddfod Genedlaethol, a dau ohonynt hyd yn oed wedi ymddangos mewn print yn y Cyfansoddiadau. 'Canmoled arall dydi' meddai'r hen air, ond beth wnewch chi pan nad ydi'r 'arall' yn gwneud! 'Rwyf ddigon o gwmpas fy mhethau i wybod nad barddoni yw gwneud ambell englyn, a pheth cymharol ddiweddar yn fy hanes yw medru sylweddoli rhyfeddod dychymyg a ffordd o feddwl bardd. Diolch am allu byw'n ddigon hir i fwynhau'r profiad hwnnw.

Y llinell gynganeddol o'm heiddo sydd agosaf at fod yn farddoniaeth, am ei bod yn mynegi profiad yw 'Gwell nos na gwyll yn nesu.' 'Hydref' oedd testun yr Hir a Thoddaid a gynhwysai'r llinell ac ni chefais hanner digon o ganmoliaeth na marciau gan y Meuryn! I fod yn ddifrifol am funud, gwelais mam yn rhodio yn y gwyll am ddigon o flynyddoedd i wneud i mi arswydo wrth feddwl am y posibilrwydd o wynebu cyfnod tebyg fy hun. Balchder, mae'n siŵr, sydd wrth wraidd fy ofn — ofn i bobl fy nghofio fel *doddering old idiot*, a methu â derbyn mai am amser byr yn unig y cofir pob un ohonom. Ond i fynd yn ôl at y cynganeddau, erys digon o ddoethineb ar hyn o bryd i sylweddoli mai crefft wyddonol yw ar fy rhan ac mai arall yw dawn bardd.

Bûm yn cadw defaid am flynyddoedd, a fi oedd yn eu cadw nhw, heb unrhyw osgo ar eu rhan nhw i'm cadw i. Peidiodd y bugeilio â bod yn bleser pan ddaeth gormod o grydcymalau i'm haelodau.

Yr unig weithgaredd a arhosodd yn hobi bur yw golff, a gwn o'r gorau na wnaf byth feistroli digon ar y grefft i fod ddim amgen na chwaraewr anobeithiol. Dywedodd golffiwr profiadol wrthyf flynyddoedd yn ôl, 'Wyddoch chi, wnewch chi byth golffar.' Gofynnais iddo, 'Pam felly?' Atebodd yntau, 'Y cwbl ydach chi eisio ydi taro'r bêl cyn belled ag y medrwch, yntê?' Ar ôl i mi gadarnhau fod hynny'n bur agos at y gwir, ychwanegodd, 'Nid dyna ydi golff.' 'Wnewch chi byth golffar.' Bymtheng mlynedd ar hugain yn ddiweddarach 'rwy'n sylweddoli ei fod yn iawn. 'Wn i ddim pam gebyst yr wyf yn dal a dal i fynd gan ddioddef artaith meddyliol wrth wneud dim ohoni. Bûm yn cael gwersi gan ŵr proffesiynol a phan ofynnais i hwnnw ar y diwedd, *Do you think I will ever break a hundred?'* atebodd, *'Well who knows.'* 'Wnaeth hynny ddim llawer o les i'm hyder!

Flynyddoedd yn ôl awn â Gwion hefo fi i'r cwrs golff ac yn aml byddai'n taro'r bêl yn well na mi ond ni ddangosodd ddigon o ddiddordeb i ddal ati, ac efallai bod arnaf innau ormod o ofn iddo ddod yn well chwaraewr na mi i barhau i fynd ag ef i'r lle!

Bu amser pan âi Mary a minnau am wyliau gan fynd â Gwion gyda ni ond, 'waeth cydnabod na pheidio, nid oedd yn hawdd ac fe benderfynwyd rai blynyddoedd yn ôl ei fod yn ormod o dreth arnom. Ar ôl i mi gael strôc ysgafn fe'm perswadiwn fy hun fod gennyf reswm da dros osgoi sefyllfa o'r fath. Rhyw ddeufis neu dri fu raid i mi aros gartref o'r gwaith ar ôl y trawiad ond bu'r effaith ar fy nghof yn gyfryw ag achosi llawer o embaras i mi byth ar ôl hynny. Fe'i caf bron yn amhosibl cofio enwau pobl ond, gwaeth na hynny, ni allaf chwaith gofio'r person os nad wyf yn ei weld yn aml. Llwyddaf yn rhyfeddol i dwyllo amryw gan roi'r argraff fy mod yn gwybod â phwy 'rwyf yn siarad, a chan nad oes neb yn hoffi peidio â chael ei adnabod efallai bod y twyll hwn yn llai gofidus o'r ddwy ochr.

Oherwydd y niwed a wnaed i ran o'm hymennydd

mae'n ddoeth osgoi cael anaesthetig ac, er i mi orfod ei gael i dynnu pledren y bustl *(gall bladder)* tra'n cael triniaeth hernia, cytunodd Mr Owen Owen i wneud y gwaith gan ddefnyddio 'local'. Byddai fideo o'r driniaeth honno wedi bod yn werth ei gweld, yn enwedig y disgrifiad manwl a roddai i mi o'r hyn a wnâi, gan ddweud yn awr ac yn y man, 'Biti na fasa Dr Miles yma, mi fasa'n leicio gweld hyn!'

'Fuaswn i ddim yn dweud ei fod yn brofiad pleserus ond, wrth edrych yn ôl, mae'n anodd peidio â chwerthin wrth gofio'r meddyg rhyfeddol yn esbonio i mi y byddai'n rhoi tair pigiad cyn dechrau ar y torri ac yna'n chwistrellu ychwaneg o'r 'local' wrth fynd ymlaen. Yna, wedi i mi ei sicrhau fy mod yn barod, dywedodd, 'Wel, dyma ni 'ta, un i'r Tad, un i'r Mab ac un i'r Ysbryd Glân.' 'Roedd yn llawdriniaeth hollol Gymraeg, hyd yn oed y cwestiwn hanner-ffordd trwodd, 'Sister, faint sydd gen i o'r 'local' yna ar ôl?' Pan gafodd ateb, ebychodd, 'Nefoedd, oes gen i ddigon deudwch?'

Pan oedd y driniaeth yn nesu at ei therfyn, dywedodd, 'Dydi o ddim yn brifo cymaint rŵan nac'di?' Wedi i mi gadarnhau hynny, ei sylw oedd, 'Dydw i ddim yn meddwl fod y 'local' 'na wedi gweithio arnoch chi!' Ac yna, 'Cerwch adref rŵan ac mi gewch fynd i'r 'Goat' nos yfory os bydd Dr Miles hefo chi!' Euthum yn ôl i'r ward a dweud wrth yr un oedd yn goruchwylio fod Mr Owen yn dweud y cawn fynd adref yn syth. Yr hyn ddywedodd ef, er nad yng nghlyw'r llawfeddyg oedd, 'Peidiwch â gwrando arno fo,' ac ni chefais fynd adref y noson honno.

Bu Gogledd Cymru yn wyrthiol o lwcus yn cael

gwasanaeth y gwerinwr o lawfeddyg rhyfeddol hwn. Hir oes iddo.

Creadur ofnus ydwyf ar lawer ystyr ac, er i mi ddweud lawer gwaith nad oes arnaf ofn marw, mae'n siŵr mai llwfrgi fyddaf pan ddaw'r amser.

Nid yw Mary'n hoffi mynd mewn awyren, tra wyf innau wrth fy modd ac wedi ceisio'i chysuro lawer gwaith trwy ddweud, 'Os aiff rhywbeth o'i le, mi fydd popeth drosodd cyn i ni wybod dim.' Fodd bynnag, cawsom brofiad ysgytwol ar daith o Leningrad i Odessa yn yr Undeb Sofietaidd, fel yr oedd ar y pryd. Cyn i'r awyren adael y llawr 'roedd yn ysgwyd fel pe'n mynd trwy gae tatws ac ar ôl mynd i fyny am ychydig funudau cawsom y teimlad ei bod yn dod i lawr yn ôl. Yn wir, ymhen ychydig 'roeddym yn hedfan ychydig droedfeddi uwchlaw'r maes awyr, yna yn ôl i'r cymylau, cyn dod i lawr yn isel a gwneud yr un peth eto nifer o weithiau.

Credwn, yn gywir mi dybiaf, mai rhoi cyfle i rai ar y llawr weld beth oedd o'i le arni oedd y pwrpas. Buom yn hedfan mewn cylch yn y cymylau uwch ben y maes awyr am tua awr a hanner, i gael gwared â'r tanwydd yn ôl pob tebyg, ond 'doedd neb yn dweud wrthym beth oedd yn digwydd. Credwn yn siŵr ein bod yn mynd i gael damwain a meddyliwn am bopeth, hyd yn oed beth fyddai tynged rhyw bry' oedd yn hedfan o'n cwmpas.

Yn y diwedd daeth rhybudd yn Rwsieg ar y corn siarad. Cyfieithiwyd ef gan un o'r teithwyr a dywedodd y byddai'r awyren yn glanio, o reidrwydd, ymhen deng munud. Daethom i lawr at y maes awyr a thystiwn fod holl beiriannau diffodd tân Rwsia a'u hambiwlansys ar ochr y llain lanio. Glaniodd yr awyren yn berffaith a daeth y peilot trwodd a dweud, *'I am very sorry.'* Aeth allan ac 'roedd tyrfa o bobl yn ei ddisgwyl ac yn ei longyfarch. Ni chawsom wybod beth oedd yn bod ond 'roedd yn brofiad na fynnwn ei gael byth eto.

Mae'n bryd rhoi pen ar y mwdwl ond gan gofio bod rhaid chwalu mydylau ac ail-drin rhywfaint cyn bydd y gwair yn barod i fynd i'r ysgubor. Fel y cyfeiriais yn y Rhagair, chwilio am y gwir sydd raid i ddyn a pharhau i wneud hynny cyhyd ag y medr.

Ni all neb a ddarllenodd yr hyn a ysgrifennais beidio â sylweddoli mai ceisio dod i delerau â mi fy hun yr wyf ar hyd yr adeg. Er fy mod yn gallu siarad am fy nheimladau, yn aml ni wn beth yw gwir ddyfnder y teimladau hynny. Ai arwynebol yw'r diffyg teimlad ymddangosiadol tra'n trafod materion sydd yn berwi o'r golwg.

Gobeithiaf fy mod yn ymwybodol o anawsterau rhai pobl pan fônt yn trafod pobl â nam meddwl ac nid wyf yn rhuthro i gondemnio'r rhai sy'n methu gwybod sut i ymwneud â hwy. Mae'n debyg fy mod yn ddig o bryd i'w gilydd ond anaml y dangosaf fy nheimladau gan fy mod yn fwy tueddol o dosturio wrth y bobl hynny. Ar un achlysur, fodd bynnag, cofiaf imi fethu dal ac 'rwy'n edifar hyd heddiw am y geiriau brwnt a ddywedais mewn ymgais hollol fwriadol i frifo person arall.

'Roedd perchennog tŷ mewn tref arbennig yn Sir Gaernarfon â'i fryd ar ei addasu i gartrefu tri neu bedwar person â nam meddwl ond cododd gwrthwynebiad gan bobl a oedd yn byw yn yr un heol. Ar y pryd, 'roeddwn yn gweithio i'r Cyngor Sir ac o dro i dro disgwylid imi roi barn gyfreithiol ar broblemau'n ymwneud â Deddfau

Cynllunio. Yn yr achos hwn, gofynnwyd imi a oedd rhaid wrth ganiatâd cynllunio. Oherwydd fy sefyllfa bersonol ofnwn na allwn fod yn ddigon gwrthrychol i roi barn gytbwys ac felly gofynnais i gyfreithiwr arall ddelio â'r cais.

Un prynhawn, cyn i unrhyw benderfyniad gael ei wneud, daeth y cynghorydd lleol a oedd hefyd yn weinidog i'm hystafell a chyfeiriodd at y cais. Dywedodd fod ganddo bob cydymdeimlad â chartrefu pobl o'r fath ond nid mewn ardal a heol lle 'roedd tai drudfawr oherwydd y byddai perygl i'w gwerth ostwng. Ychwanegodd ei fod ef ei hun yn byw gerllaw. Ai'r ffaith mai gweinidog ydoedd a'm cynddeiriogodd?

''Rydw i'n sylweddoli,' meddwn, 'mai pethau ac nid pobl ydyn nhw i chi a'ch tebyg sy'n meddwl bod eich tipyn eiddo mor gynddeiriog o bwysig. 'Rydw i'n sylweddoli hefyd nad oes gynnoch chi mo'r help eich bod chi mor amddifad o werthoedd fel eich bod chi'n rhoi pobl fel hyn yn yr un categori ag anifeiliaid a ddylai fod yn cael gofal mewn sŵ neu rywle tebyg. Nid y fi fydd yn delio â'r cais, ac efallai y dylwn adael i chi wybod bod gen i fy hun blentyn â nam arno.'

Aeth y gŵr parchedig yn welw fel y galchen a dechreuodd wneud esgusodion gan ddweud cymaint 'roedd o wedi'i wneud i helpu pobl. Rhoddais ar ddeall iddo nad oedd arnaf eisiau clywed rhagor, ac aeth o'r ystafell.

'Roedd Mr Richard Thomas yn yr ystafell ar y pryd ac 'roedd yn amlwg ei fod wedi'i syfrdanu. 'Mae'n ddrwg gen i, Dic,' meddwn, 'ddylswn i ddim bod wedi gadael i 'nheimladau fynd yn drech na fi.'

'Paid â mwydro dy ben, Gwynn,' meddai yntau. 'Mi

ddeudist yn iawn wrtho fo, ac mae un peth yn saff, mi aeth y neges adref.'

Y piti mwyaf yw bod y dyn arbennig hwnnw yn weinidog ac yn ddyn da, ac fe wn y byddai'n llawer gwell i'r ddau ohonom pe bawn wedi trin y mater yn oddefgar gydag ef.

'Rwy'n sylweddoli mai ystyriaethau gwleidyddol a chrefyddol sy'n dal i fynd â'm bryd. Er imi fod yn ffyddlon i oedfaon Capel y Waun trwy'r blynyddoedd, yn flaenor ac organydd, ac o bryd i'w gilydd yn gyfrifol am oedfa ar ambell Sul gwag, fe'm hystyrir yn anffyddiwr gan lawer o aelodau'r eglwys. Mae'n sefyllfa ryfedd, gan fy mod yn aml yn rhoi arweiniad ar ryw fater neu'i gilydd, megis y penderfyniad i ddymchwel y Capel mawr ac addasu'r Festri yn fan cyfarfod i'r aelodau. Tua'r un pryd ag y cymerwyd y cam syfrdanol hwnnw caed daeargryn ac aeth un o bobl y Waun i'w fedd yn llwyr argyhoeddedig mai fi oedd yn gyfrifol!

Nid wyf yn derbyn mai anffyddiwr ydwyf ond gwell gennyf sôn am Dduwdod yn hytrach na Duw. Diolch byth na chefais erioed y profiad o gyrraedd rhyw fan ar y ffordd i Ddamascus a dim angen myfyrio rhagor ar ôl hynny.

O bryd i'w gilydd teimlais fy mod wedi cael cip ar y gwir, megis wrth glywed darlith yr Athro J.R. Jones ar wacter ystyr, ac ar dro yn nosbarthiadau ei gefnder, Gwilym O. Roberts. Er imi bori yn yr un meysydd â hwy 'rwy'n dal i edrych a oes porfa amgenach y tu arall i'r wal. Byddwn yn falch iawn pe cawn y tawelwch a ddaw i'r rhai sy'n derbyn ac yn credu'n llwyr mewn rhywbeth canolog sydd iddynt hwy yn ddechrau a diwedd popeth.

Weithiau byddaf yn eiddigeddus o'r bobl hynny sy'n

gallu ystyried y Beibl yn anffaeledig, nes bod i'r llyfr ei hun ryw fath o allu gwyrthiol, nid annhebyg i ddelw'r Hindw, ac yn cael ynddo'r tangnefedd hwnnw yr ydym oll yn chwilio amdano, a hwythau, o ganlyniad, yn meddu ar ddewrder a hyder na allaf fi byth mo'i gael.

Ond, 'waeth i mi gydnabod bod yn well gennyf yr ansicrwydd ac nad yw clywed adrodd ac ailadrodd rhyw ddywediadau ac ystrydebau o'r gorffennol yn golygu dim i mi. I mi, mae sôn am waed yr Oen yn golchi pechodau nid yn unig yn ystrydeb y dylid ei chladdu ond yn sawru o baganiaeth na fynnwn fod â rhan ynddi. Bellach, 'rwy'n sicr fod cyplysu crefydd wrth enedigaeth wyrthiol ac atgyfodiad y corff yn rhwystr i'r rhan fwyaf o bobl, yn gymaint o rwystr ag yw ceisio esbonio'r cread trwy sôn am ryw nefoedd ac uffern ar ôl marw, a gwneud hynny'n sylfaen bywyd.

Cyhyd ag y byddwn yn parhau i gyplysu'n crefydd â chwedloniaeth Roegaidd, er mor bwysig oedd hynny yn y gorffennol efallai, yr ydym yn rhwystro'r ymdrech i ymgyrraedd at y gwirionedd. Pa obaith sydd i bobl ifanc weld unrhyw oleuni trwy len o ffantasïau?

Dangoswyd inni natur y Duwdod gan lawer o bobl, ond yn bennaf oll gan Iesu Grist trwy wneud Cariad yn ganolbwynt ei ddysgeidiaeth a'i fywyd. Yn Holiadur *Y Cymro* dywedais mai'r hyn sy'n atgas gennyf mewn pobl yw'r awch am boblogrwydd ac 'roedd rhaid i mi roi'r un ateb i'r cwestiwn a ofynnai beth 'roeddwn yn ei gasáu fwyaf ynof fy hun. Ymwrthod â phoblogrwydd a dewis y groes, am na fynnai drais, yw'r weithred sydd i mi yn graidd y Duwdod.

Y broses o ymgyrraedd at y Duwdod sy'n anodd.

'Rwy'n sicr erbyn hyn y dylem fanteisio ar gymorth sawl crefydd ond dewis yr hyn sy'n dderbyniol yn ôl ein goleuni ein hunain. Gwn ym mêr fy esgyrn mai trwy fyfyrdod a gweddi y mae modd meddiannu'r tawelwch sy'n angenrheidiol i berson weithredu cariad. Pe sylweddolid hynny, credaf y gellid gwyrdroi'r byd. Ond pa bwrpas siarad a minnau'n rhy brysur i wneud dim ond parhau i grefydda'n ddiddrwg-ddidda — a siarad!

Tybed a oes gwirionedd yn y gosodiad mai chwilio am y gwir sy'n bwysig a bod elfen beryglus yn yr ymdeimlad o fod wedi ei ganfod? Ond tybed nad wyf yn anghofio'r adnod, 'A hon yw y ddamnedigaeth . . .' a bod yn well gennyf y tywyllwch?

Yn ystod fy oes i bu tri gweinidog yn gofalu am yr achos yn y Waun. Cyfeiriais eisoes at y Parchedigion D.J. Lewis a Harri Williams. Yr olaf a fu yma oedd y diweddar Barchedig J.D. Roberts, a roddodd wasanaeth hynod gydwybodol mewn cyfnod anodd iawn yn hanes crefydd. Gwnaeth ef a'i briod ymdrechion glew i gadw'r gannwyll ynghŷn, fel petai. Buont yn hynod garedig wrthym ni fel teulu ac 'rwy'n ymwybodol iawn na wneuthum hanner digon i'w helpu yn ei waith anodd. Ond 'roeddwn yn rhy brysur.

Ac mae'r un peth yn wir yn y maes gwleidyddol. 'Rwy'n gwybod beth y dylid ei wneud ond yn rhy brysur neu'n rhy ofnus i symud. Gwn yn iawn, tu hwnt i amheuaeth, mai'r rhai sy'n rheoli'r fasnach arfau sy'n penderfynu a fydd rhyfel ai peidio. Oherwydd fy mod yn credu hynny ni allwn gefnogi CND. Mae'r masnachwyr arfau yn llwyr ddibynnol ar ryfeloedd y gellir eu cadw dan reolaeth ac ni feiddiant sbarduno'r march pan fyddant hwy eu hunain yn ei lwybr. Gwyddant nad doeth cael rhyfel rhwng y pwerau mawrion oherwydd y byddai'r rheiny'n rhwym o ddefnyddio arfau niwcliar yn hwyr neu'n hwyrach. Ond rhwydd hynt i ryfeloedd 'llai' megis y Malvinas a'r Gwlff. Ysgwn i beth fydd eu hanes pan fydd galluoedd llai yn berchen ar y fath arfau, a'r galluoedd hynny'n rhai na allant eu rheoli? O safbwynt moesol, prin y gellir cyfiawnhau parhad gwareiddiad sydd â'i wreiddiau'n llwyr ddibynnol ar wrtaith y masnachwyr arfau.

Nid oes arnaf eisiau gweld diwedd ar arfau niwcliar hyd nes y byddwn wedi callio digon i ddiddymu arfau confensiynol yn gyntaf. Os daw rhyfel mawr eto credaf mai teg yw i'r rhai sydd wedi arfer hysio dynion ifanc i'w marwolaeth orfod wynebu'r un farwolaeth eu hunain. O leiaf, mae arfau niwcliar yn golygu y bydd pawb yn y llinell flaen ac, os daw'r gwaethaf, siawns na fydd diwedd ar bopeth, gan gynnwys y casineb. Ni fynnwn weld bywyd ar ôl rhyfel arall. Pe bai'r gallu gennyf gwnawn i ffwrdd â phob gwn.

Dyna fi wedi cael dweud fy nweud. Cofied y darllenydd mai ymosod ar gyfundrefnau yr wyf, nid unigolion. Fel yr oedd fy nghyfeillion pennaf a minnau am y pared â'n gilydd yn ystod y rhyfel ac eto'n parhau'n ffrindiau, daw llawer o'm cyfeillion heddiw o bleidiau ac argyhoeddiadau cwbl wahanol i mi. 'Dydi bywyd yn boen ond 'dydi o hefyd yn grêt?